by Rees Hughes

LAND ACKNOWLEDGMENT

The rich and stunning lands within the boundaries of Humboldt County include the traditional, ancestral, and present homelands of several Indigenous nations, including the Hupa, Karuk, Mattole, Wailaki, Wiyot, and Yurok. These lands were taken from these communities during an extended period of forced removal and genocide that has had far-reaching impacts, yet these peoples have been and continue to be stewards of this place. We honor and acknowledge the strength and resilience of these communities that came before us, that are with us now, and the future Indigenous peoples of this area. We have endeavored to weave in this recognition throughout this book.

We would like to extend our gratitude to those who have shared perspectives and knowledge with us on our journey creating this book. It has been a time of deep growth for both the individuals working on this project and our agency as a whole. Thank you. We acknowledge that First 5 Humboldt, as an organization, is still working to uncouple our agency from the legacy of colonialism and want to own any omissions as unintentional but, also, First 5 Humboldt's responsibility. This book represents our understanding of the impact of history and current practices at this point in time, we know we have more to learn, and we welcome the opportunity to continue learning from our community.

RECONOCIMIENTO DE TIERRAS

Las tierras ricas y deslumbrantes dentro de los límites del condado de Humboldt incluyen las tierras tradicionales, ancestrales y actuales de varias naciones indígenas, incluidos los Hupa, Karuk, Mattol, Wailaki, Wiyot y Yurok. Estas tierras fueron arrebatadas a estas comunidades durante un período prolongado de expulsión forzosa y genocidio que ha tenido impactos de gran alcance, pero estas comunidades han sido y continúan siendo administradores de este lugar. Honramos y reconocemos la fuerza y la resiliencia de estas comunidades que nos precedieron, que están con nosotros ahora y los futuros pueblos indígenas de esta zona. Nos hemos esforzado por entrelazar este reconocimiento a lo largo de este libro.

Queremos expresar nuestra gratitud a todos aquellos que han compartido perspectivas y conocimientos con nosotros durante el proceso de la creación de este libro. Ha sido una época de profundo crecimiento tanto para las personas que han trabajado en este proyecto como para nuestra agencia en su conjunto. Gracias a todos. Reconocemos que First 5 Humboldt, como organización, todavía está trabajando para desvincular nuestra agencia del legado del colonialismo y queremos asumir cualquier omisión como involuntaria, pero también como responsabilidad de First 5 de Humboldt. Este libro representa nuestra comprensión del impacto de la historia y las prácticas actuales en este momento, sabemos que tenemos más que aprender, y agradecemos la oportunidad de seguir aprendiendo de nuestra comunidad.

Note on territories map: This is just one interpretation of the "boundaries" pre-colonization and based on LaLande, J. 1991, The Indians of Southwestern Oregon: An Ethnohistorical Review. Department of Anthropology, Anthropology #9 Oregon State University, Corvallis, OR.

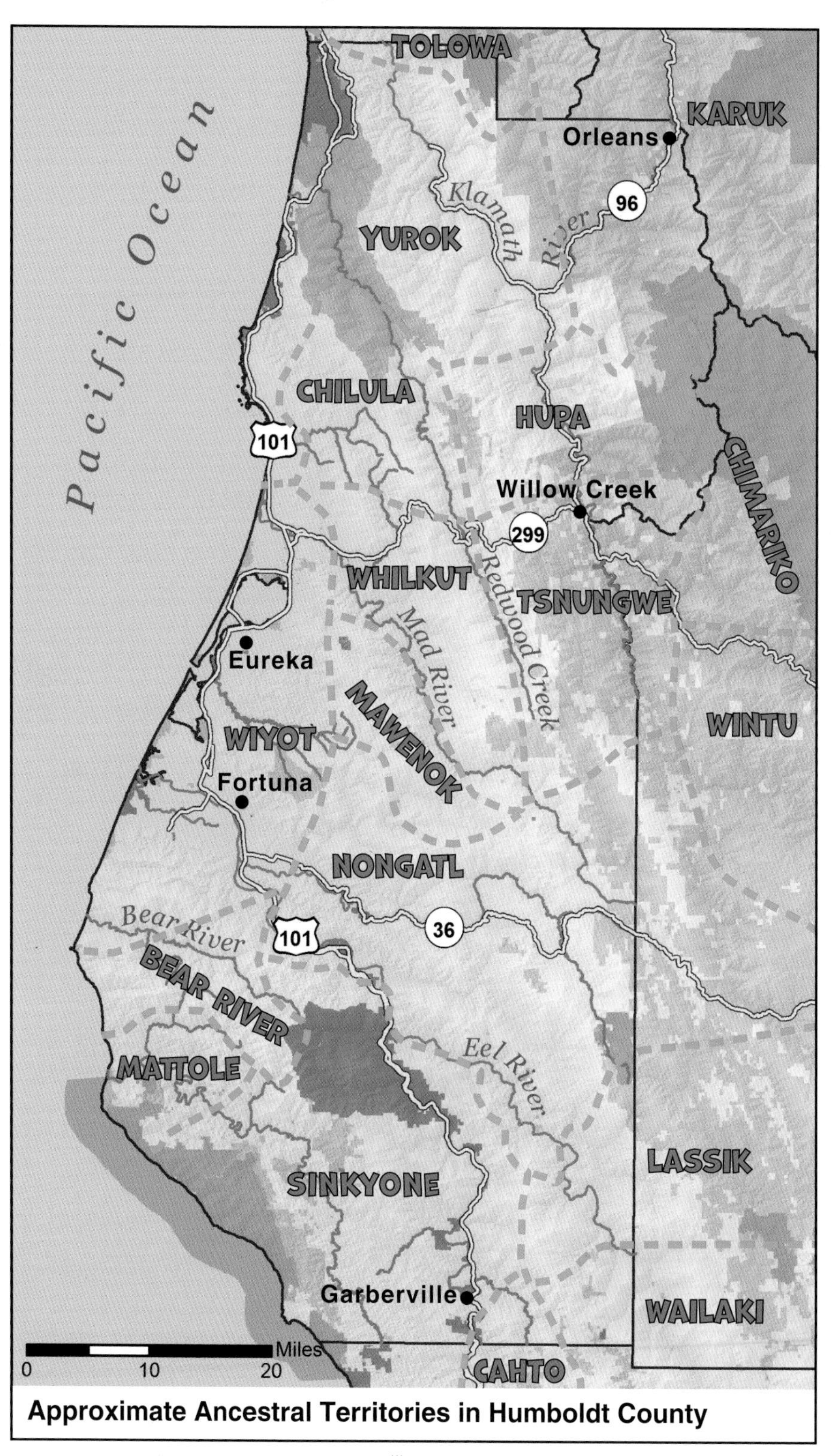

Approximate Ancestral Territories in Humboldt County

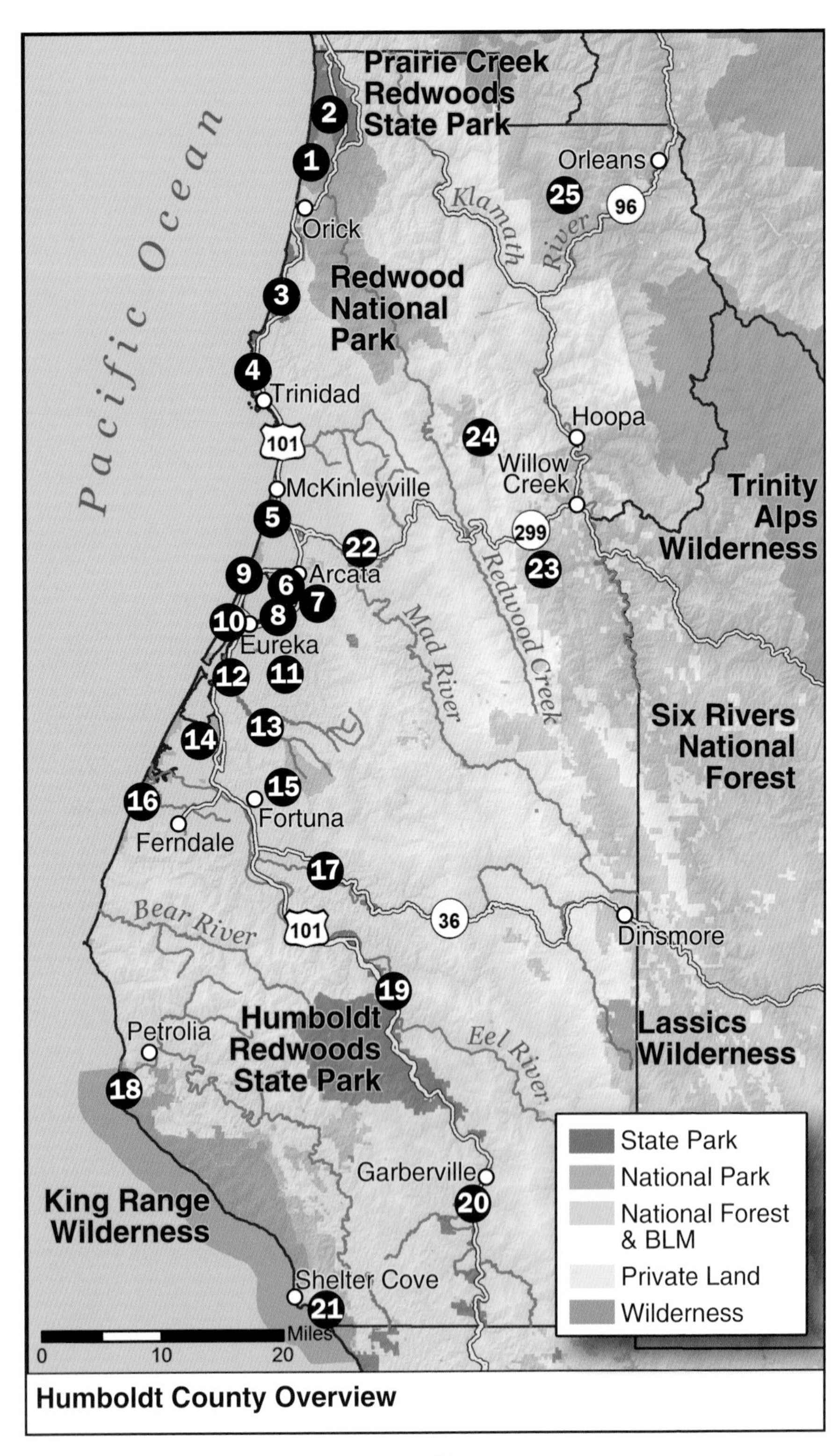

Humboldt County Overview

TABLE OF CONTENTS

First Edition
9 8 7 6 5 4 3 2 1

Cover photo: Prairie Creek Zig-Zags (2022) ☞ Michael Kauffmann
Book layout and cover design ▪ Backcountry Press (AP+MK)
Published by Backcountry Press ▪ Kneeland, California
Printed by Versa Press ▪ East Peoria, IL

ISBN 978-1-941624-18-0
Library of Congress Control Number: 2023935102
Order this book online: www.backcountrypress.com

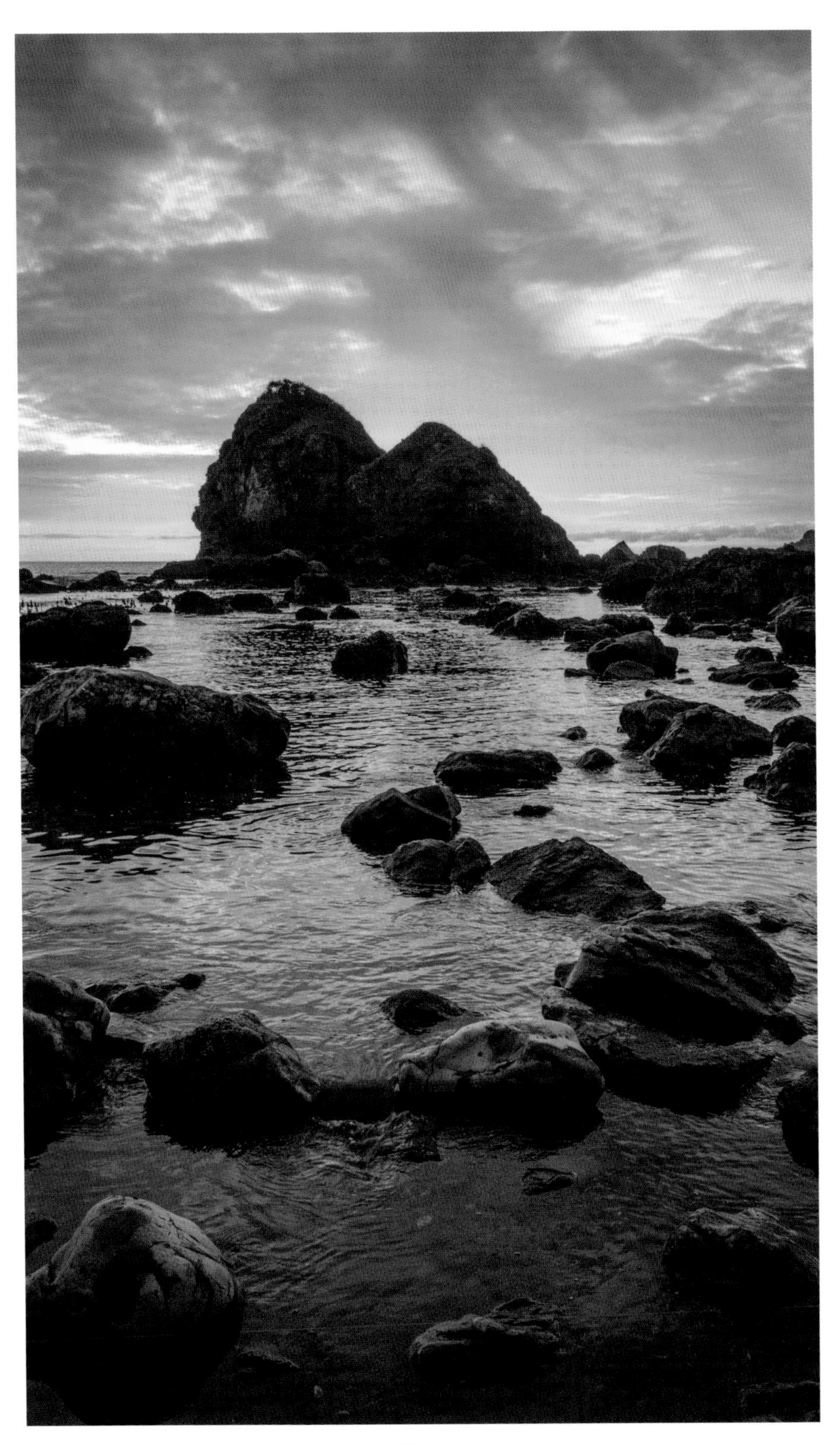

PREFACE

Humboldt County is an amazing region, with so many gorgeous places to appreciate. Every family knows that if you have little ones, there are extra challenges to exploring—physical barriers, their extra curiosity and fascination with their surroundings, stamina that is often shorter but sometimes much greater than that of their adult caregivers!

We began this project in mid-2021, in the thick of the COVID-19 pandemic. In case any of us had forgotten, the pandemic reminded us of the joy of being together outdoors. The research on the impact of the outdoors on our well-being is clear. Time spent in natural environments is one of seven stress-busting strategies identified by California's Surgeon General as a way to mitigate toxic stress. Physical activity and supportive relationships are two of the other strategies. Together, they reduce stress hormones, reduce inflammation and increase neuroplasticity, which are all key to improving overall health and well-being across our lifespan. We know from developmental science that stress has the most extreme impacts on young children's developing brains and stress-response systems. Enjoying Humboldt's outdoor trails is one important tool to supporting our children's healthy development, while also boosting the health of their caregivers!

First 5 Humboldt is fortunate to have been able to partner with Rees Hughes on this project, with his incomparable familiarity of local trails and day hikes in our area. First 5 Humboldt program coordinator Jennifer Gonzales and Rees spent many hours working through which options best fit this project, while honoring and highlighting the rich cultural history and nurturing potential of these spaces. Jennifer's children helped her explore the spaces, testing them with little legs and eager, curious minds, so that barriers, limitations, and opportunities for fun were fully vetted!

We have tried to bring a respectful lens to this project, acknowledging the complex history of this area, knowing that genocide, the decimation of traditional practices and languages, and the forced removal of children and peoples from this region have shaped the opportunities and experiences of those who call Humboldt home. The resilience of this area and its peoples are an awe-inspiring testament to strength and community. It's our hope that we never take this area, its peoples and its resilience for granted.

The strength of Humboldt is grounded in this land and in its children. Our children and families are our hope for tomorrow, as stewards of this place. We hope families can use this book to renew their appreciation for this amazing region. Have fun and cherish your time together on these trails, exploring, and building your health and connections.

Tomorrow starts with our actions today.

–Mary Ann Hansen, First 5 Humboldt

PREFACIO

El condado de Humboldt es una región increíble, con tantos lugares hermosos para apreciar. Toda familia sabe que si tiene niños pequeños, hay desafíos adicionales para explorar: barreras físicas, su curiosidad adicional y fascinación con su entorno, ¡Resistencia que a menudo es más corta pero a veces mucho mayor que la de sus cuidadores adultos!

Comenzamos este proyecto a mediados de 2021, en medio de la pandemia de COVID-19. Por si alguno lo había olvidado, la pandemia nos recordó la alegría de estar juntos al aire libre. La investigación sobre el impacto del aire libre en nuestro bienestar es clara. El tiempo que se pasa en entornos naturales es una de las siete estrategias para combatir el estrés identificadas por el Cirujano General de California como una forma de mitigar el estrés tóxico. La actividad física y las relaciones de apoyo son dos de las otras estrategias. Juntos, reducen las hormonas del estrés, reducen la inflamación y aumentan la neuroplasticidad, que son clave para mejorar la salud y el bienestar general a lo largo de nuestra vida. Sabemos por la ciencia del desarrollo que el estrés tiene los impactos más extremos en el cerebro en desarrollo de los niños pequeños y en los sistemas de respuesta al estrés. ¡Disfrutar de los senderos al aire libre de Humboldt es una herramienta importante para apoyar el desarrollo saludable de nuestros niños y al mismo tiempo mejorar la salud de sus cuidadores!

First 5 Humboldt tiene la suerte de haber podido asociarse con Rees Hughes en este proyecto, con su incomparable familiaridad con los senderos locales y las caminatas de un día en nuestra área. La coordinadora del programa First 5 Humboldt, Jennifer Gonzales, y Rees dedicaron muchas horas a analizando las opciones que mejor se adaptan a este proyecto, al mismo tiempo que honran y resaltan la rica historia cultural y el potencial enriquecedor de estos espacios. Los hijos de Jennifer la ayudaron a explorar los espacios, poniéndolos a prueba con sus piernecitas y sus mentes ávidas y curiosas de modo que pudieron detectar barreras, limitaciones y oportunidades de diversión.

Hemos tratado de traer un lente respetuoso a este proyecto, reconociendo la compleja historia de esta área, sabiendo que el genocidio, la aniquilación de prácticas e idiomas tradicionales, y la expulsión forzada de niños y pueblos de esta región han dado forma a las oportunidades y experiencias de aquellos que llaman hogar a Humboldt. La resiliencia de esta área y su gente es un testimonio impresionante de fortaleza y comunidad. Es nuestra esperanza que nunca demos por sentada esta área, su gente y su resiliencia.

La fuerza de Humboldt se basa en esta tierra y en sus hijos. Nuestros niños y familias son nuestra esperanza para el mañana, como administradores de este lugar. Esperamos que las familias puedan usar este libro para renovar su aprecio por esta increíble región. Diviértanse y aprecien su tiempo juntos en estos senderos, explorando y construyendo su salud y conexiones.

Mañana comienza con nuestras acciones de hoy.

–Mary Ann Hansen, First 5 Humboldt

INTRODUCTION

Dedication

To my children, now grown, Chisa and Mei Lan Hughes. It was through their young eyes and ears that I was reminded of the magic of the outdoors and the importance of curiosity and wonder.

Acknowledgments

The real credit for this courageous undertaking goes to First 5 Humboldt, Mary Ann Hansen, and Jennifer Gonzales for their vision, involvement, and financing of this project. Without Michael Kauffmann and Allison Poklemba, whose knowledge of the natural world and experience as educators was invaluable, and the involvement of Backcountry Press, the resulting guide would have been far more modest. We also benefitted from the photographic contributions of supporters like Mark Larson, Nancy Spruance, Max Forster, Michael Kauffmann, and Allison Poklemba, and from Ben Selman, who crafted and illustrated all the maps in the book. Creating a bilingual book is no small task and would not have been possible without the help of First 5 Humboldt consultants, and multilingual staff Karina Vazquez Lopez and Leticia Padilla Navia for their thoughtful translation. Contributions from community members at United Indian Health Services, California State Parks, and the Hoopa Valley Tribe informed our understanding of the complex history and its lasting implications for the Native people, culture, and places here. I am also thankful for the generous assistance of Jerry Rohde and the Special Collections staff of California Polytechnic University, Humboldt.

Using This Book

The purpose of this book is to get families outdoors and to have active experiences in nature that inspire wonder in their children. If we can make these outings fun and instill in our kids a curiosity about the surrounding world, we help create lifelong habits around learning, exercise, and nature.

The 25 walks in this book are grouped into four geographic regions of Humboldt County. The description of each hike includes an information box, driving and walking directions, a map, and some suggested activities or highlights of various flora, fauna, historical, or cultural aspects related to the hike (Scavenger Hunt). Consider the Scavenger Hunt items simple prompts for any number of open-ended discoveries. There are also some extra walks sprinkled throughout the book. If you find that you are ready for more beyond the walks included here, see *Hiking Humboldt: 101 Shorter Day Hikes, Urban and Road Walks.*

Information boxes: Most of the information present in these boxes is self-explanatory. Pay special attention to the Difficulty. **Select a level of challenge appropriate for your family.** Length is round-trip unless noted otherwise. Note that often the closest Public Transit stop may be a significant distance from the suggested walk. Several of the hikes may be inaccessible at various times (snow, seasonal closures, etc.); access constraints are listed in the box and described in

INTRODUCCIÓN

Dedicación

A mis hijos, ya mayores, Chisa y Mei Lan Hughes. Fue a través de sus ojos y oídos jóvenes que recordé la magia del aire libre y la importancia de la curiosidad y el asombro.

Expresiones de gratitud

El verdadero mérito de esta valiente empresa es para First 5 Humboldt, Mary Ann Hansen y Jennifer Gonzales por su visión, participación y financiación de este proyecto. Sin Michael Kauffmann y Allison Poklemba, cuyo conocimiento del mundo natural y experiencia como educadores fue invaluable, y sin la participación de Backcountry Press en la publicación de este libro, la guía resultante habría sido mucho más modesta. También nos hemos beneficiado de las contribuciones fotográficas de colaboradores como Mark Larson, Nancy Spruance, Max Forster, Michael Kauffmann y Allison Poklmeba, y de Ben Selman, que ha elaborado e ilustrado todos los mapas del libro. Crear un libro bilingüe no es tarea fácil y no habría sido posible sin la ayuda de los consultores de First 5 Humboldt y del personal multilingüe, Karina Vazquez Lopez y Leticia Padilla Navia, por su atención cuidadosa en la traducción. Las contribuciones de los miembros de la comunidad de United Indian Health Services, California State Parks y Hoopa Valley Tribe han contribuido a nuestra comprensión de la compleja historia y sus implicaciones duraderas para la población, la cultura y los lugares pertenecientes a los indígenas de la región. También agradezco la generosa ayuda de Jerry Rohde y del personal de Special Collections de California Polytechnic University, Humboldt.

Usando este libro

El propósito de este libro es llevar a las familias al aire libre y tener experiencias activas en la naturaleza que inspiran asombro en sus hijos. Si podemos hacer que estas salidas sean divertidas e inculcar en nuestros hijos la curiosidad sobre el mundo que los rodea, ayudaremos a crear hábitos para toda la vida en torno al aprendizaje, el ejercicio y la naturaleza.

Los 25 paseos de este libro están agrupados en cuatro regiones geográficas del condado de Humboldt. La descripción de cada caminata incluye un cuadro de información, indicaciones para conducir y caminar, un mapa y algunas actividades sugeridas o aspectos destacados de la flora, la fauna, los aspectos históricos o culturales relacionados con la caminata (búsqueda del tesoro). Considere las indicaciones simples de los elementos de "Scavenger Hunt" búsqueda del tesoro para cualquier cantidad de descubrimientos abiertos. También hay algunos paseos adicionales repartidos por todo el libro. Si encuentra que está listo para más allá de las caminatas incluidas aquí, consulte *Hiking Humboldt Volume 2*.

Cajas de información: La mayor parte de la información presente en estos recuadros se explica por sí misma. Presta especial atención a las dificultades. **Seleccione un nivel de desafío apropiado para su familia**. La duración es de

more detail in the text. Pay attention to these to avoid disappointment and safety risk. When available, phone numbers are included to confirm current conditions.

Fees: Most of these walks are free but some have associated fees (e.g., Sue-Meg State Park, Sequoia Park Zoo, Fish Lake).

Getting There: All driving distances and times are based upon leaving from downtown Eureka. You will need to adjust directions and times depending upon where you start.

Routes: I have tried to provide sufficient detail (complemented by the maps) to complete each walk but my descriptions should rarely trump good judgment. Changes occur. What you encounter may not precisely match my description. If that is the case, please let us know (see website below).

Maps: Each route map is oriented either North up or East up, depending on the hike's layout. Be sure you're holding it correctly!

Web Site: https://backcountrypress.com/hiking-humboldt/kids-and-families/

This is the book's companion web site and has links to additional information and a forum for hikers to share their observations, experiences, and comments. Users are urged to post notes on their impressions of the hike, trail conditions, unexpected access issues, and observations of natural and human history.

ida y vuelta a menos que se indique lo contrario. Tenga en cuenta que, a menudo, la parada de transporte público más cercana puede estar a una distancia significativa de la caminata sugerida. Varias de las caminatas pueden ser inaccesibles en varios momentos (nieve, cierres estacionales, etc.); las restricciones de acceso se enumeran en el cuadro y se describen con más detalle en el texto. Preste atención a estos para evitar decepciones y riesgos de seguridad. Cuando están disponibles, se incluyen números de teléfono para confirmar las condiciones actuales.

Tarifas: La mayoría de estos paseos son gratuitos, pero algunos tienen tarifas asociadas (p. ej., Sue-Meg State Park, Sequoia Park Zoo, y Fish Lake).

Como Llegar: Todas las distancias y tiempos de conducción se basan saliendo del centro de Eureka. Deberá ajustar las direcciones y los tiempos dependiendo de dónde comience.

Rutas: He tratado de brindar suficientes detalles (complementados con los mapas) para completar cada caminata, pero mis descripciones rara vez deben prevalecer sobre el buen juicio. Cambios suceden. Es posible que lo que encuentre no coincida exactamente con mi descripción. Si ese es el caso, háganoslo saber (consulte el sitio web a continuación).

Mapas: Cada mapa de ruta está orientado hacia el norte o hacia el este, según el diseño de la caminata. ¡Asegúrate de sostenerlo correctamente!

Sitio web: https://backcountrypress.com/hiking-humboldt/kids-and-families/

Este es el sitio web complementario del libro y tiene enlaces a información adicional y un foro para que los excursionistas compartan sus observaciones, experiencias y comentarios. Se insta a los usuarios a publicar notas sobre sus impresiones de la caminata, las condiciones del sendero, los problemas de acceso inesperados y las observaciones de la historia natural y humana.

What to Bring Checklist

I encourage you to create your own reminder list for day hikes. You have to plan for your children too. As your children age, you may want to consider involving them in the hike prep and having them carry some lightweight items.

I encourage dressing in layers so that you can adjust to changing conditions. For all of these walks, no special shoes are required. I do encourage both children and adults to wear comfortable, closed-toed shoes (not sandals).

Here is my reminder list:

1. Water
2. Food. You know your family's nutrition preferences.
3. Camera (phone with a camera)
4. Binoculars
5. Extra layers of clothing and rain jacket for rain, wind, change of temperature. A change of clothes to address wet or soiled clothes (if you drove, you may be able to leave these in the car).
6. All those extra things to deal with expected or unexpected toilet emergencies.
7. Toilet paper and sanitizer
8. Basic first aid supplies (band-aids, antibiotic ointment, etc.) or small first aid kit. Are there any special meds you need to bring (my oldest child is diabetic which required that we bring some special supplies)?
9. Directions/maps/guidebook/field guide(s)
10. Reading glasses (otherwise the maps and guides may be useless)
11. Sunglasses
12. Hats
13. Sunscreen
14. Cell phone
15. ID, money, license (etc.)
16. Headlamp (only necessary for evening walks)
17. Pocket knife

There may be other items to include. Although most of these hikes are easy to moderate, some may like to use hiking poles (especially with a child on your back) in places like Hidden Valley or the walk to Punta Gorda. Some may want to bring insect repellant or Tecnu (for poison oak). Swimming suits and towels during certain times of the year and specific hikes (e.g., East Fork Willow Creek, Fish Lake, Swimmer's Delight) may be appropriate.

Wendy Gorton, in *California 50 Hikes With Kids*, suggests providing older children with an adventure bag. This can include a nature journal with pen/pencil, a container for 'specimens,' a favorite figurine or toy, and a special snack.

Lista de verificación de qué llevar

Te sugiero a que crees tu propia lista de recordatorios para excursiones de un día. Tienes que planificar para tus hijos también. A medida que sus hijos crezcan, puede considerar involucrarlos en la preparación para la caminata y que llevan algunos artículos livianos.

Sugiero vestirse en capas de ropapara que pueda adaptarse a las condiciones cambiantes. Para todas estas caminatas no se requiere calzado especial. Sugiero tanto a los niños como a los adultos a usar zapatos cómodos y cerrados (no sandalias).

Aquí está mi lista de recordatorios:

1. Agua
2. Alimento. Usted conoce las preferencias nutricionales de su familia.
3. Cámara
4. Binoculares
5. Capas extra de ropa y chaqueta para lluvia, viento, cambio de temperatura. Una muda de ropa para hacer frente a la ropa mojada o sucia (si conduce, es posible que pueda dejarla en el automóvil).
6. Todas esas cosas adicionales para hacer frente a emergencias de baño esperadas o inesperadas.
7. Papel higiénico y desinfectante
8. Suministros básicos de primeros auxilios (curitas, ungüento antibiótico, etc.) o un pequeño botiquín de primeros auxilios. ¿Hay algún medicamento especial que deba traer? (mi hijo mayor es diabético, lo que requiere que traigamos algunos suministros especiales)
9. Direcciones/mapas/guía/guía(s) de campo
10. Gafas de lectura (de lo contrario, los mapas y guías pueden ser inútiles)
11. Gafas de sol
12. Sombreros
13. Protector solar
14. Teléfono móvil
15. Identificación, dinero, licencia (etc.)
16. Linterna frontal (solo necesaria para caminatas nocturnas)
17. Cuchillo de bolsillo

Puede haber otros elementos para incluir. Aunque la mayoría de estas caminatas van de fáciles a moderadas, a algunos les puede gustar usar bastones (especialmente con un niño en la espalda) en lugares como Hidden Valley o la caminata a Punta Gorda. Algunos pueden querer traer repelente de insectos o Tecnu (para roble venenoso). Trajes de baño y toallas durante ciertas épocas del año y caminatas específicas (por ejemplo, East Fork Willow Creek, Fish Lake, Swimmer's Delight) pueden ser apropiados.

Wendy Gorton, en ***California 50 Hikes With Kids***, sugiere proporcionar a los niños mayores una bolsa de aventuras. Esto puede incluir un diario de la naturaleza con bolígrafo/lápiz, un recipiente para "muestras", una figura o juguete favorito y un refrigerio especial.

Safety

When walking along the beach, be sure to consult tide tables and plan appropriately. Keep in mind that inland summer temperatures can necessitate more water to stay hydrated. Poison oak can be an issue on a number of trails. Make sure you and your children can identify poison oak in its various stages (the leaves turn an enticing red in the autumn). Be prepared for weather changes and other possibilities (see "What to Bring Checklist").

Some trailheads experience car break-ins. A car window may be smashed and a purse or backpack quickly stolen. My recommendation is to never leave valuables in your vehicle and, if for some reason you must, hide them in a trunk. Since road crossings are incorporated into several of these walks, exercise caution when walking even seldom-traveled roads. Wear bright colors, take small hands, and cross with care. And don't forget to let someone know your general itinerary.

Respect for Nature and Respect for Others

It is so important that we teach stewardship on our adventures. The philosophy of 'Leave No Trace' (no evidence, perhaps other than footprints, that we have been in a place) is so important. Even minimizing crumbs we leave behind after a snack! For example, highly intelligent and aggressive birds like crows, ravens, and jays thrive by eating leftover food from picnics. They proliferate in numbers and drive away other birds, even tracking down their nests and eating the eggs. They have had a big impact on the population of the endangered marbled murrelet.

Please do your best to stay on the trail. Try to avoid taking short-cut trails even though others have done so. These cuts often make the official trail more difficult to maintain. Avoid trampling vegetation and disturbing wildlife. Please try not to take a leaf or flower off of a growing plant. And be considerate of others using the trail.

Trust Your Judgment

Ultimately, you know your family the best – their needs, preferences, personalities, how to motivate them, how to provide structure, etc. Adapt these suggestions in a way that works best for your children.

Seguridad

Cuando camine por la playa, asegúrese de consultar las tablas de mareas y planifique adecuadamente. Tenga en cuenta que las temperaturas de verano en el interior pueden requerir más agua para mantenerse hidratado. El roble venenoso puede ser un problema en varios senderos. Asegúrese de que usted y sus hijos puedan identificar el roble venenoso en sus diversas etapas (las hojas se vuelven de un rojo tentador en el otoño). Esté preparado para los cambios climáticos y otras posibilidades (consulte la "Lista de verificación de qué llevar").

Algunos senderos experimentan robos de automóviles. Se puede romper la ventana de un automóvil y robar rápidamente un bolso o una mochila. Mi recomendación es que nunca deje objetos de valor en su vehículo y, si por alguna razón debe hacerlo, escóndalos en un baúl. Dado que los cruces de caminos se incorporan a varias de estas caminatas, tenga cuidado al caminar, incluso en caminos poco transitados. Use colores brillantes, sostenga las manos pequeñas de los niños y cruce con cuidado. Y no olvides dejarle saber a alguien tu itinerario general.

Respeto por la naturaleza y respeto por los demás

Es muy importante que enseñemos mayordomía en nuestras aventuras. La filosofía de "No dejar evidencia" (o solo huellas, de que hemos estado en un lugar) es muy importante. ¡Incluso minimizando las migas que dejamos después de un refrigerio! Por ejemplo, las aves muy inteligentes y agresivas, como los cuervos y los arrendajos, prosperan comiendo los restos de comida de los picnics. Proliferan en gran número y ahuyentan a otras aves, incluso rastrean sus nidos y se comen los huevos. Han tenido un gran impacto en la población del mérgulo jaspeado que está en peligro de extinción.

Por favor, haga todo lo posible para mantenerse en el camino. Trate de evitar tomar caminos cortos aunque otros lo hayan hecho. Estos cortes a menudo hacen que el rastro oficial sea más difícil de mantener. Evite pisotear la vegetación y perturbar la vida silvestre. Trate de no quitar una hoja o una flor de una planta en crecimiento. Y sea considerado con los demás que usan el sendero.

Confía en tu juicio

En última instancia, usted conoce mejor a su familia: sus necesidades, preferencias, personalidades, cómo motivarlos, cómo brindar estructura, etc. Adapte estas sugerencias de la manera que funcione mejor para sus hijos.

NORTHERN COASTAL
HUMBOLDT
ANCESTRAL LANDS OF THE
TOLOWA, YUROK,
AND CHILULA

One of the most amazing and wonderful aspects of living in Humboldt County is having coastal redwoods in our backyard. Visitors come from all over the world to see these tall trees. From a handful of coast redwoods living south along Big Sur to a few outliers just north of the Chetco River in southwestern Oregon, the redwoods survive in a narrow northern California coastal belt.

Of the 1.6 million acres of redwoods, only about 6 percent is old-growth. Some of the most accessible and spectacular redwood forests are included in this book including two in this section in **Prairie Creek Redwoods within Redwood National and State Parks**. These adventures are equally thrilling for adults and children—from the awe and majesty of the tall trees that scrape the sky to the ferns, banana slugs, and sorrel on the forest floor.

This section includes two walks offering stunning ocean views. In addition to panoramic views, **Sue-meg State Park** includes a traditional Yurok village, access to tidepools, and Agate Beach, picnicking and camping options. The rocky promontory of **Trinidad Head** rises more than 350 feet above the surrounding ocean offering an excellent vantage point for whale spotting.

Since it was completed in 2001, the **Hammond Trail** has been among the most popular trails in Humboldt County. Although the trail stretches 5.5 miles from the Mad River to Clam Beach, the middle section is our choice for families.

Uno de los aspectos más geniales y maravillosos de vivir en el condado de Humboldt es tener las secuoyas costales (Sequoia sempervirens) en nuestros jardines traseros. Los visitantes vienen de todos lados del mundo para ver los árboles altos. De las pocas secuoyas costales que están creciendo en el sur de la orilla de Big Sur a unos que están justo al norte del río Chetco en el sureste de Oregon, las secuoyas sobreviven en una zona costal estrecha al Norte de California.

De los 1.6 million hectares de las secuoyas, solamente 6% de ellas son de crecimiento antiguo. Algunos de los bosques de secuoyas más accesibles y espectaculares son incluidos en este libro incluyendo dos en esta sección en **Prairie Creek Redwoods National and State Parks**. Estas aventuras son igual de emocionante para los adultos y niños desde el asombro y majestad de los árboles altos que rascan el cielo hasta los helechos, babosas de plátano, y acedera en el piso del bosque.

Esta sección incluye dos caminatas ofreciendo vistas impresionantes del mar. En adición a las vistas panorámicas, el **Parque Sue-meg State** incluye una aldea tradicional de los Yurok, acceso a pozas de marea, playa de ágata y opciones de acampar e ir de picnic. El promontorio rocoso de **Trinidad Head** se eleva más que 350 pies arriba del mar circundante con una posición ventajosa excelente para observar ballenas.

Desde que abrió en 2001, el **Hammond Trail** ha sido uno de los caminos más populares en el condado Humboldt. Aunque el camino se estrecha por 5.5 millas de Mad River a Clam Beach, la sección media es la que escogemos para las familias.

1

DANCE WITH EARTH'S TALLEST TREES

BAILA CON LOS ÁRBOLES MÁS ALTOS DE LA TIERRA

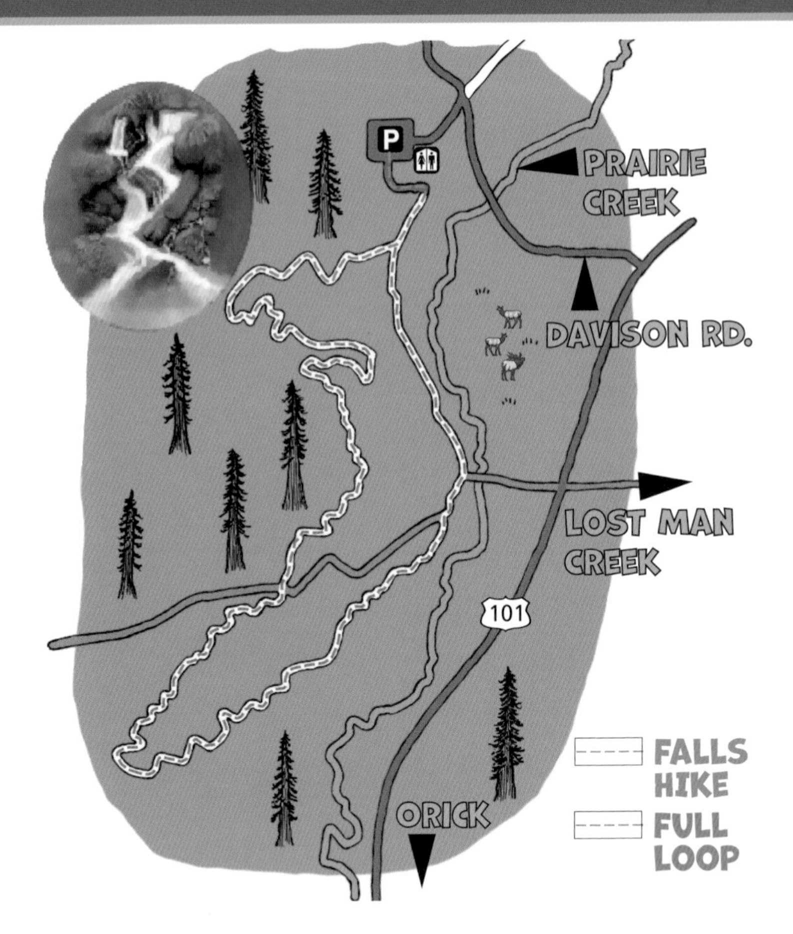

TRILLIUM FALLS TRAIL

Length (Longitud): 1.2 - 3.1 miles

Difficulty (Dificultad): Moderate

Land management (Gestion de tierras): Redwood National Park, (707) 464-6101

Access constraints (Restricciones de acceso): None

Dogs (Perros): No

Bicycles (Bicicletas): No

Strollers (Cochecitos): No (nearby options exist for walking paved and hard-packed trails)

Bathroom (Baño): Elk Meadows Day Use Area

Public Transport (Transporte público): No

YOUR ADVENTURE: This walk offers a little of everything. The trail passes through old-growth redwood groves on the half-mile walk up to 10-foot Trillium Falls. The wetlands along Prairie Creek at the beginning and end of the walk are one of the most dependable locations for viewing Roosevelt elk. And the picnic area at the Elk Meadows Day Use Area has been built on the site of the 8-acre asphalt-covered log deck of Arcata Redwood Company's Mill B.

GETTING THERE: Proceed north on US 101 44.8 miles to the Davison Road exit. Turn left on Davison Road and proceed for a quarter mile to the Elk Meadows Day Use Area. Ample parking is available at the trailhead. This option places you near the middle of the Davison Trail that links Elk Prairie and the State Park Visitor Center to the Lost Man Creek Picnic Area, a distance of almost 6 miles. Approximate driving time, 50 minutes.

SU AVENTURA: Esta caminata ofrece un poco de todo. El sendero pasa por los bosquecillos de las secuoyas de crecimiento antiguo en la caminata de media milla a la cascada Trillium Falls que es de 10 pies de altura. Los humedales cerca de Prairie Creek al principio y al fin de la caminata son una ubicación de las más dependientes para ver los alces de Roosevelt. El área de picnic en el área de uso de día de Elk Meadows ha sido construido en el sitio de la terraza larga de 8 hectáreas cubierto en asfalto del Mill B de Arcata Redwood Company.

CÓMO LLEGAR: Diríjase al norte en el US 101 por 44.8 millas a la salida "Davison Road". Gira a la izquierda en Davison Road y siga todo derecho por cuarta milla al área de uso de día de Elk Meadows. Hay estacionamiento abundante disponible en la entrada del camino. Esta opción le ubica cerca a usted en el punto medio del camino Davison que conecta el centro de visitantes (State Park Visitor Center) al área de picnic de Lost Man Creek, con una distancia de casi 6 millas. El tiempo de manejo es de aproximadamente 50 minutos.

THE ROUTE: From the Elk Meadow Day Use Area proceed south (right) on paved Davison Trail. The unpaved Trillium Falls Trail departs to the right (0.2) and quickly switchbacks up the hillside and enters the redwoods. It is somewhat steep and the path is, at times, uneven. The trail makes a bridged crossing some 100 feet from Trillium Falls (0.6), a 10-foot cascade distinctive not so much because of its size as the paucity of falls in these parks. Appreciate the big trees and forest floor. Return the way you came (1.2) or consider the following option on the next page.

LA RUTA: Del área de uso de día de Elk Meadows, siga al sur (a la derecha) en el sendero pavimentado de Davison. El camino no pavimentado de Trillium Falls desvía a la derecha (0.2) y rápidamente hay una carretera de zig zag que sube el cerro para entrar en las secuoyas. Hay poca inclinación y, a veces, es desnivelado. El camino requiere que cruces un puente 100 pies de Trillium Falls (0.6), una cascada de 10 pies que es distinta no por su tamaño sino por la escasez de cascadas en estos parques. Agradezca los árboles altos y los pisos del bosque. Regrese por el mismo camino en que llegó usted (1.2) o considere las siguientes opciones en la siguiente página.

WALK THE FULL LOOP. From the Falls (0.6), the trail continues to climb before cresting (1.1). Then the trail undulates through more redwood groves before dropping back down to Davison Trail (2.8) and left 0.3 mile to the Day Use Area (3.1). Use a stroller or bicycle on flat Davison Trail. Davison Trail, an old haul road that parallels Prairie Creek, continues north from the Elk Meadows. The surface is hard-packed but not paved and extends to Elk Prairie and the Prairie Creek Visitor's Center (3.7 miles). The Davison Trail continues south and east crossing Prairie Creek and US 101 (be very careful!) on to Lost Man Creek (2.4 miles to the Lost Man Creek Picnic Area). This paved option also offers connection to the Berry Glen Trail and, when completed, the Centennial Grove Trail.

RECORRE EL CIRCUITO COMPLETO. De las cascadas (0.6), el camino sigue subiendo antes de alcanzar la cima (1.1). Después, el sendero ondula por más bosquecillos de secuoyas antes de bajar otra vez al sendero Davison (2.8) y a la izquierda 0.3 millas al área de uso de día (3.1). Use una carriola o bici en el sendero liso de Davison. El sendero de Davison sigue al norte de Elk Meadows como un sendero antiguo para transporte que discurre paralelo a Prairie Creek. La superficie está compactada pero no está pavimentada y se extiende a Elk Prairie y el centro de visitantes de Prairie Creek (3.7 millas). El sendero de Davison sigue al sur y al este cruzando Prairie Creek y US 101 (¡Tenga cuidado!) en Lost Man Creek (2.4 millas al área de picnic de Lost Man Creek). Esta opción pavimentada también ofrece conexión al camino Berry Glen y, terminando, al camino Centennial Grove.

ROOSEVELT ELK

Roosevelt elk are the largest of the four species of elk in North America. They can weight as much as 1,100 pounds. Even a newborn calf weighs about 35 pounds. Elk eat woody plants, tree bark, grasses, and flowering plants. Currently there are seven Roosevelt elk herds in Redwood National and State Parks that can be seen in any number of locations from Elk Meadows to Big Lagoon to the Bald Hills to Gold Bluffs Beach (but, ironically, rarely in Elk Prairie). Be careful, they are wild animals.

Los alces de Roosevelt son los más grandes de las cuatro especies en norteamérica. Pueden pesar hasta 1,100 libras. Hasta un ternero puede pesar alrededor de 35 libras. Comen plantas de madera, corteza de árbol, pastos, y plantas que florecen. Actualmente, hay siete grupos de uapití de Roosevelt en los parques nacionales y estatales de las secuoyas que se pueden ver en varias ubicaciones de Elk Meadows, Big Lagoon, Bald Hills a la playa de Gold Bluffs (pero, irónicamente, rara vez en Elk Prairie). Tenga cuidado, son animales silvestres.

GOOSE PEN

Some old growth redwood trees have been hollowed out by fires that occurred long ago but they remain healthy because enough of the base and sapwood remains undamaged. The name 'goose pen' comes from their use long ago as a corral for livestock. Put a fence across the opening but make sure there is no hole in the back!

Algunas de las secuoyas de crecimiento antiguo han sido ahuecadas por los incendios que ocurrieron hace mucho tiempo pero siguen saludables porque una cantidad de su base y albura sigue intacta. El nombre "corral de ganso" viene de su uso hace mucho tiempo como un corral de ganado. ¡Ponga una barda atravesando la entrada pero asegúrese que no haya un hoyo en el fondo!

RED ALDER

Notice the difference between the conifers with needles and the deciduous trees with leaves. The deciduous trees lose their leaves each autumn. Most of the trees with leaves on this walk are red alder. It is called 'red' alder because when the bark is bruised or scraped it turns a bright, rusty red.

Note la diferencia entre las coníferas con agujas y los árboles caducifolios con hojas. Los árboles caducifolios se les caen sus hojas cada otoño. La mayoría de los árboles con hojas por esta caminata son de aliso rojo. Se llama aliso "rojo" porque cuando la corteza está magullada o rasguñada, cambia a un color rojo oxidado.

SWORD FERN

One of the most common ferns in the forest. Notice that the long fronds have many pinnae (like leaves) each of which has a small upward-pointing lobe which look like a sword hilt at its base. Turn over some of the long fronds and you will find lines of brown dots or sori. Sori are where spores are produced and spores are how ferns reproduce. So these dots are a good thing – they tell you that your fern is happy, and virile!

Es uno de los helechos más comunes en el bosque. Note como las frondas largas tienen varios folíolos (como hojas), cada uno de ellos tienen un lóbulo pequeño apuntando hacia arriba que parecen un puño de una espada en su base. Voltee algunos de los folíolos largos y usted encontrará líneas de puntos cafés o "sori". Los sori son donde se producen esporas y las esporas son como se reproducen los helechos. Entonces, estos puntos son buenos- ¡Le dicen que el helecho es feliz y viril!

PACIFIC TRILLIUM

This iconic flower of the redwood forests is also known as western wakerobin and western trillium. It is common along the Pacific Coast from British Columbia to central California where it flowers from February through April. It is the most common trillium species in western North America.

Esta flor icónica de los bosques de las secuoyas también están conocidas como "wakerobin del oeste" y "trilio del oeste". Es común a lo largo de la costa pacífica de Columbia Británica a California central donde florecen de febrero a abril. Es la especie más común del trilio de norteamérica del oeste.

MORE TO EXPLORE: FERN CANYON

In this book, Fern Canyon gets second billing because it involves an additional 6.7 mile drive along unpaved Davison Road, **requires a permit between May 1st - September 30th (get at least a day in advance)**, and the temporary bridges are only installed during the summer and early fall. However, it is a wonderful place for a family prepared to get wet, do some scrambling, and be amazed by the fern-laden walls. From the parking lot, the trail proceeds north along the base of the bluff to Home Creek (0.2). The trail turns east entering the mouth of the canyon following a well-trod path that crosses a series of plank bridges put in place as water flow permits. The canyon walls, blanketed by the delicate five-finger fern, become more dramatic. All too soon it is over (0.6) as the canyon broadens and the trail exits up the northern rim (or reverse course and return the way you came). If you take the trail out of the canyon, at the intersection with the James Irvine Trail turn left (0.8 mile). Follow the trail back to the trailhead (1.2). The walk is not long but additional options are available for the more ambitious.

MÁS PARA EXPLORAR: FERN CANYON

En este libro, el Fern Canyon es en segundo lugar porque involucra un manejo adicional de 6.7 millas por la ruta no pavimentada Davison, **requiere permiso entre el primero de Mayo al 30 de Septiembre (conseguir con al menos un día de antelación)**, y solamente instalan los puentes temporales durante el verano y principio de otoño. Además, es un lugar genial para una familia que está preparada para mojarse, explorar, y asombrarse por las paredes llenas de helechos. Del estacionamiento, el camino procede al norte a lo largo de la base del risco a Home Creek (0.2). El camino gira al este entrando en la entrada del cañón siguiendo un camino bien pisado que cruza una serie de puentes de tablón puestos en su lugar que permite la fluidez del agua. Las paredes del cañón, cubiertos por los helechos delicados de cinco dedos, se hacen más dramáticos. Demasiado pronto todo termina (0.6) cuando el cañón se abre y el camino sale por la orilla del norte (O regresa por el camino en que llegó). Si sale del camino afuera del cañón, en la intersección con el camino James Irvine (0.8 mile) gira a la izquierda. Siga el camino regresando a la apertura del camino (1.2). La caminata no es larga pero las opciones adicionales son disponibles para los que son más ambicioso.

2

WALK THROUGH A REDWOOD TUNNEL

CAMINA POR UN TÚNEL DE SECUOYA

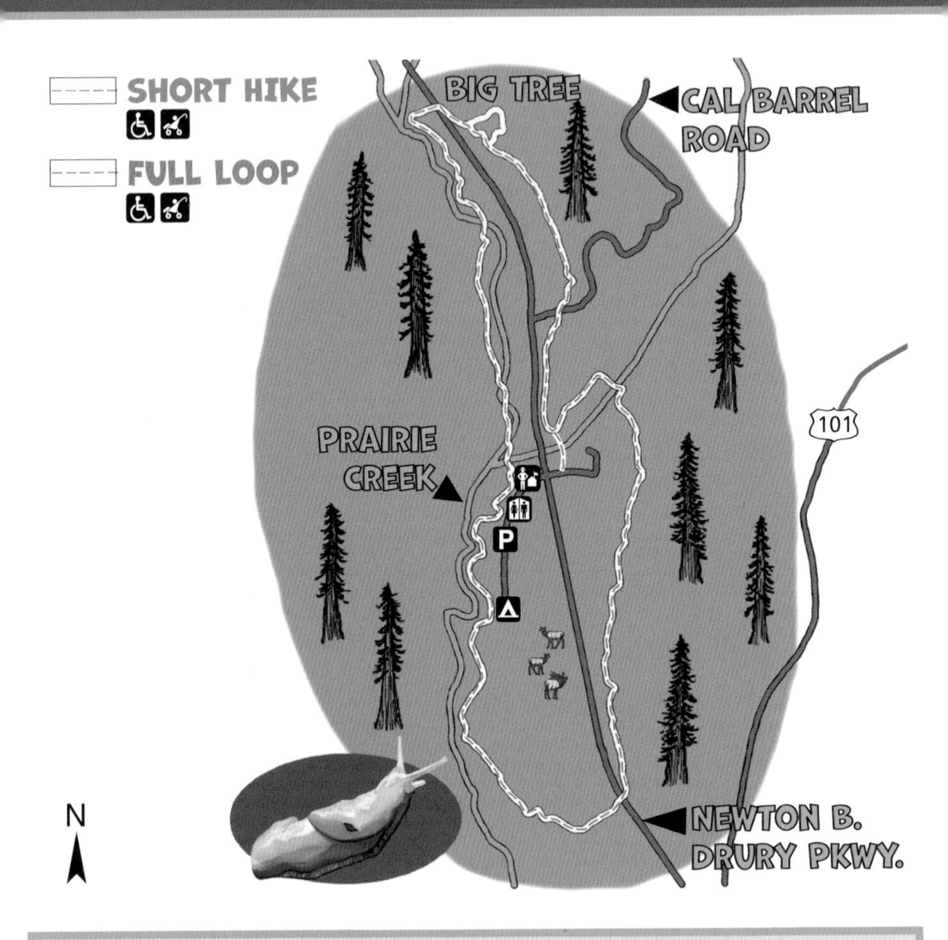

KARL KNAPP TRAIL (PRAIRIE CREEK TRAIL)

Length (Longitud): 1.2 miles (one-way)

Difficulty (Dificultad): Easy

Land management (Gestion de tierras): Prairie Creek Redwoods State Park, (707) 464-6101

Access constraints (Restricciones de acceso): None

Dogs (Perros): No

Bicycles (Bicicletas): No

Strollers (Cochecitos): Yes, ADA accessible

Bathroom (Baño): At visitor center

Public Transport (Transporte público): No

YOUR ADVENTURE: This gentle walk parallels Prairie Creek for 1.2 miles weaving through spectacular stands of ancient redwoods towering above and a lush carpet of sorrel and ferns below. For children, there are several fun bridged crossings of Prairie Creek and tunnels cut out of fallen giants along the way. It is one of my favorite walks through an old growth redwood forest.

SU AVENTURA: Esta caminata gentil discurre paralela a Prairie Creek por 1.2 millas serpenteando por grupos espectaculares de secuoyas antiguas arriba y una alfombra exuberante de redwood sorrel y helechos. Para los niños, hay varios puentes divertidos para cruzar. Prairie Creek y túneles cortados en arboles gigantes fallecidos en el camino. Es una de mis caminatas favoritas por un bosque de secuoyas de crecimiento antiguo.

GETTING THERE: Proceed north on US 101 47 miles to Exit 753 (Newton B. Drury Parkway). Turn left (0.2 mile) on the Parkway and proceed north past Elk Prairie for about 1.0 mile to the turn into the Visitor's Center and Campground. Parking is limited. Approximate driving time is 50 minutes.

THE ROUTE: The signed beginning of the trail is just northwest of the Visitor's Center. It immediately crosses Prairie Creek and reaches a signed intersection (0.2). Take the right fork (the left leads to the more challenging West Ridge Trail and James Irvine Trail). Although the Prairie Creek Trail continues beyond the intersection (1.1) with an access trail to Newton B. Drury Parkway (1.2), this is a good place to turn around.

CÓMO LLEGAR: Continúe hacia el norte por la US 101 47 millas hasta la salida 753 (Newton B. Drury Parkway). Gire a la izquierda (0.2 milla) en Parkway y continúe hacia el norte pasando Elk Prairie hacia el norte durante aproximadamente 1.0 milla hasta el giro hacia el Centro de visitantes y el campamento. El estacionamiento es limitado. El tiempo aproximado de conducción es de 50 minutos.

LA RUTA: El comienzo del sendero está justo al norte del Centro de visitantes. Inmediatamente cruza Prairie Creek y llega a una intersección señalizada (0.2). Tome el desvío a la derecha (el de la izquierda conduce a West Ridge Trail y James Irvine Trail, que son más desafiantes). Aunque el sendero Prairie Creek continúa más allá de la intersección (1.1) con un sendero de acceso a Newton B. Drury Parkway (1.2), este es un buen lugar para dar la vuelta.

MORE TO EXPLORE

There are many other trails that depart from near the Visitor's Center. The Elk Prairie Loop Trail (2.8) follows the perimeter of the meadows south of the Visitor's Center. The Foothill Trail follows an old wagon road to the Big Tree Wayside just east of the Parkway (0.8 one-way) and can be connected with the Prairie Creek Trail to make a 2.5-mile loop. These trails are relatively flat and have a hard packed surface.

MÁS PARA EXPLORAR

Hay varios otros caminos que empiezan cerca del centro de visitantes. El camino de Elk Prairie Loop (2.8) sigue la orilla de los prados al sur del centro de visitantes follows. El camino Foothill sigue una calle antigua de carritos al Big Tree Wayside justo al este del Parkway (0.8 de ida) y se puede conectar con el camino Prairie Creek para crear un círculo grande de 2.5 millas. Estos caminos son relativamente planos y tienen una superficie compactada.

ANOTHER WORLD 200 FEET IN THE AIR

Thanks to explorations of this new world at the very top of these redwoods by Cal Poly Humboldt faculty members, Dr. Steve Sillett and Marie Antoine, we have learned that there is an entire ecosystem that begins several hundred feet up. Imagine the challenge of just getting to the first branch. They found places where more than three feet of soil has accumulated supporting ferns, huckleberry bushes, rhododendrons, even other trees. There are salamanders that spend entire lives without touching the ground.

Gracias a los miembros de la facultad de Cal Poly Humboldt por sus exploraciones del mundo en lo más arriba de estas secuoyas, Dr. Steve Sillett y Marie Antoine, hemos aprendido qué hay un ecosistema entero que empieza a cientos de pies hacia arriba. Imagínese el reto de alcanzar solamente la primera rama. Él encontró lugares donde más que tres pies de tierra se ha acumulado apoyando los helechos, arbustos de arándano, rododendro, y otros árboles. Hay salamandras que pasan todas sus vidas sin tocar el piso.

PACIFIC BANANA SLUGS

Instead of looking up, look down and you just might see a banana slug. These slugs, the largest in North America, grow up to 9 inches long. They are one of the slowest species on the planet moving 6.5 inches per minute. They breathe through the big hole in their side. Most importantly, they chew up fallen leaves, moss, even animal droppings and help clean the forest.

En vez de mirar hacia arriba, mire hacia abajo y a lo mejor verá una babosa de plátano. Esta babosa, la más larga en Norteamérica, crecen hasta 9 pulgadas de largo. Son una de las especies más lentas en el planeta con una velocidad de 6.5 pulgadas por minuto. Ellas respiran por el hoyo grande que esta a un lado de su cuerpo. Sobre todo, ellas mastican hojas caídas, musgo, hasta escremento de animales y ayudan a limpiar el bosque.

PACIFIC RHODODENDRON

If you are on this walk in May and June, you may see these plants among the redwoods decorated with clusters of delicate light red or pink flowers. You may have to look up because rhododendrons are often more than 20 feet tall. Do the flowers have a smell? Many Humboldt County gardens have planted relatives of this forest plant.

Si usted está en esta caminata en mayo y junio, es posible que usted vea estas plantas entre las secuoyas adornadas con grupos delicados de flores rosadas o roja clara. A lo mejor tiene que mirar hacia arriba porque los rododendros con frecuencia son más de 20 pies de altura. ¿Las flores tienen un perfume? Varios jardines del condado de Humboldt tienen plantados los parientes de esta planta forestal.

3

LEARN ABOUT THE YUROK PEOPLE

APRENDE SOBRE LOS YUROK PERSONAS

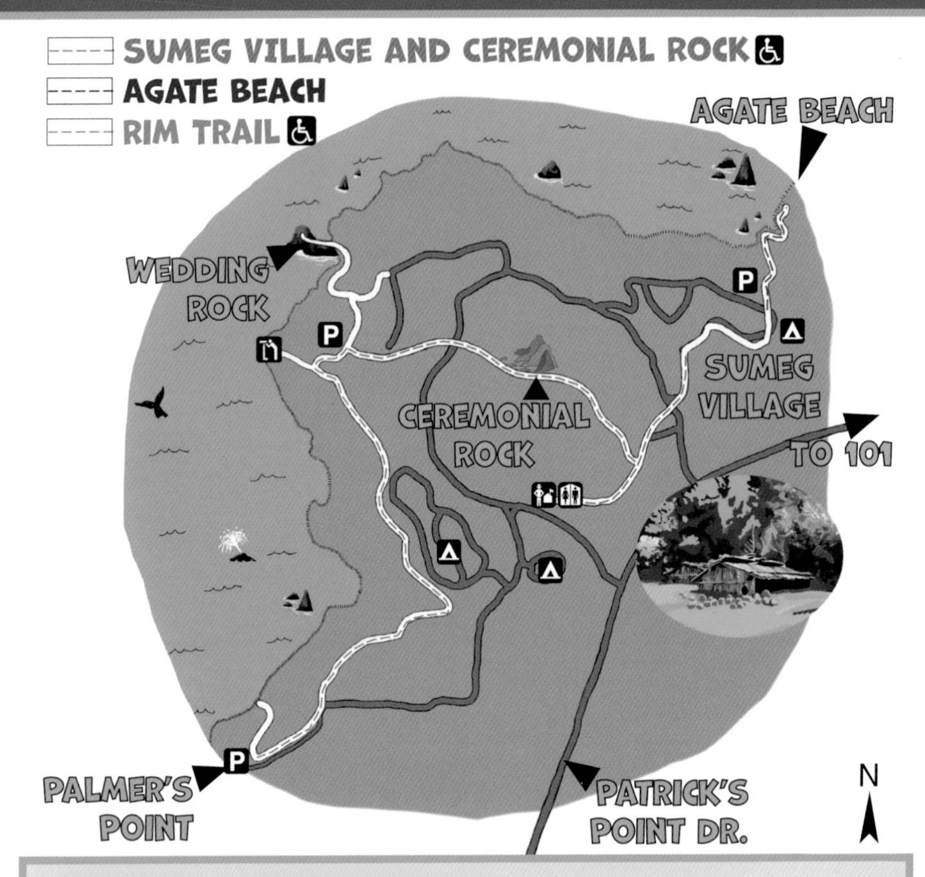

SUE-MEG STATE PARK

Length (Longitud): As much as 4.0 miles (with many shorter options)

Difficulty (Dificultad): Easy to Challenging

Land management (Gestion de tierras): California State Parks (707) 677-3570

Fee (Tarifa): $8/day (per vehicle)

Access constraints (Restricciones de acceso): None

Dogs (Perros): No

Bicycles (Bicicletas): No

Strollers (Cochecitos): Some sections

Bathroom (Baño): Sumeg Village, Agate Beach Overlook, Visitor's Center, Lookout Rock, Mussel Rocks, and in the campgrounds.

Public Transport (Transporte público): No

YOUR ADVENTURE: Perched high above the ocean on 640 forested acres, Sue-meg State Park offers ocean views, rocky headlands, a traditional Yurok village and native plant garden, access to Agate Beach, tide pools, and a network of trails. I have highlighted three of my favorite options.

SU AVENTURA: Posado alto arriba del mar en 640 hectáreas, el parque estatal Sue-meg ofrece vistas del mar, promontorios rocosos, y una aldea tradicional de Yurok y jardín nativo de plantas, acceso a la playa Agate, pozas de marea, y una red de senderos. He resaltado tres de mis opciones favoritas.

GETTING THERE: Drive north on US 101 27.6 miles taking Exit 734 (Patrick's Point Drive). Turn left onto Patrick's Point Drive proceeding 0.5 mile to the park entrance. Turn right on the park access road to the entrance station (0.3 mile). Parking is available at a number of features throughout the park. Approximate driving time, 35 minutes.

THE ROUTE:

Option 1. Walk the level Rim Trail with its hard-packed surface from the Wedding Rock parking area to Palmer's Point (1.3 miles each way) with the short detour on the Overlook Trail to a viewpoint. If you are taking a stroller, there are several obstacles at about .9 mile.

Option 2. Proceed north from the trailhead several hundred feet east of the Visitor Center. Check out the traditional hand-dug canoe at the beginning of the trail. The trail splits with a right

CÓMO LLEGAR: Maneje al norte en el US 101 por 27.6 millas hasta la salida 734 (Patrick 's Point Drive). Gire a la derecha en Patrick 's Point Drive procediendo 0.5 millas a la entrada del parque. Gire a la derecha en la ruta del acceso del parque a la estación de la entrada (0.3 millas). Estacionamiento disponible en uno de los sitios del parque. Tiempo de manejo, aproximadamente 35 minutos.

LA RUTA:

Opción 1. Camine el sendero plano Rim Trail con su superficie compactada del área de estacionamiento del Wedding Rock a Palmer 's Point (1.3 millas cada dirección) con el desvío corto en el sendero Overlook Trail a un mirador. Si lleva carriola, hay varios obstáculos cerca de la milla 0.9.

Opción 2. Procede al norte de la entrada del sendero unos cientos de pies al este del centro de visitantes. Revise la canoa tradicional, tallada a mano,

fork leading to the Sumeg Village and the native plant garden (0.1). After exploring the Village, return to the trail junction this time taking the left fork passing Ceremonial Rock (a short but strenuous walk to the top), across the park road to Lookout Rock and the Rim Trail (0.8 each way). This trail is also level and hard-packed.

Option 3. From the parking lot on the north side of Agate Beach Campground, there is a spectacular view of Agate Beach, lying 200 feet and a quarter mile by trail below the rim. Not only is the beach treacherous because of its shore break, but the final 20 feet of trail before reaching the beach are often eroded. So care is required. But searching the rocky beach for agates can be addicting.

en la entrada del sendero. El sendero se desvía al lado derecho que le lleva a la aldea Sumeg y el jardín nativo de plantas (0.1). Después de explorar la aldea, regrese al cruce del sendero esta vez tomando el brazo izquierdo pasando la Ceremonial Rock (una caminata corta pero ardua a la cima), a través de la ruta del parque a la Lookout Rock y el Rim Trail (0.8 cada dirección). Este sendero también es nivelado con una superficie compactada. Opción 3. Del estacionamiento del lado norte del campamento de Agate Beach, hay una vista espectacular de Agate Beach, que está a 200 pies abajo de la orilla y cuarta milla por caminata. La playa no es peligrosa solamente por su ruptura de olas traicioneras, pero también porque los los últimos 20 pies de sendero antes de llegar a la playa estan a menudo erosionados. Entonces se requiere cuidado es requerido. Pero la búsqueda en la playa rocosa por las ágatas puede ser adictiva.

SUE-MEG SCAVENGER HUNT
BÚSQUEDA DEL TESORO EN SUE-MEG

SUEMÊG VILLAGE

This is the re-creation of a Traditional Yurok village, as well as a seasonal fishing camp, a sweathouse, changing houses, and a Dance house. Each structure was made by hand from redwood planks. No nails are used to hold structures together!

Esta es la recreación de un campamento temporal del Yurok- consistiendo de casas familiares, una casa de sudor, casas de vestirse, y un hoyo de baile. Cada estructura fue hecha a mano de tablones de secuoya. ¡Ningún clavo fue usado para mantener las estructuras intactas!

THE RE-NAMING OF SUE-MEG STATE PARK

In 2021, California State Parks and the Yurok Tribe worked together to re-name Sue-meg State Park back to its original name. Since time immemorial "Sue-meg" has been used by Yurok people to describe this area. The Patrick of Patrick's Point came from an Irish homesteader, Patrick Beegan, who built a small cabin on this promontory in the early 1850s. Beegen was later implicated in the murder of Native American people, leading to a militia that massacred many Indigenous people.

EL RENOMBRAMIENTO DEL PARQUE ESTATAL DE SUE-MEG

En el 2021, a pedido de la tribu Yurok, el parque estatal de Patrick 's Point se convirtió en el parque estatal de Sue-meg. Por cientos de años, "Sue-meg" ha sido usado por las personas de Yurok para describir esta área. Los Patricks Point venían de un granjero irlandés, Patrick Beegan, quen construyó una cabaña pequeña en este promontorio a principios de los 1850s. Beegen fue luego implicado en el homicidio de un niño nativoamericano en 1854 y, en 1864, fue líder de una milicia que mató a varias personas indígenas.

SEA STACKS

There was a time when Ceremonial Rock and Lookout Rock (and Strawberry Rock above Trinidad) were in the ocean where waves eroded softer rock around them. Over many thousands of years, this coastline was pushed upward by tectonic forces leaving them high and dry. You can see sea stacks still in the ocean near Luffenholtz Beach south of Trinidad.

Había un tiempo cuando Ceremonial Rock y Lookout Rock (y Strawberry Rock arriba de Trinidad) estaban en el mar donde las olas erosionaron las piedras más suaves a su alrededor. Después de unos miles de años, esta línea de costa fue empujada hacia arriba por fuerzas tectónicas dejándola alta y sin agua. Se pueden ver los montones de mar cerca de la playa Luffenholtz al sur de Trinidad.

SEA LIONS

Palmer's Point is the best place to hear the bark of the sea lions and see them lounging on off-shore rocks warming and drying in the sun or just resting. Sea lions are much bigger than their relatives, the harbor and fur seals (who don't bark) common along the North Coast. While awkward on land, sea lions can swim as fast as 35 miles per hour.

Palmer's Point es el mejor lugar para escuchar el ladrido de los leones del mar y verlos acostados en las piedras cercanas a la costa calentándose y secándose en el sol o solamente descansando. Los leones del mar son más grandes que sus parientes, las focas de puerto o rocas de pelo (que no ladran) y son comunes a través de la costa del norte. Mientras torpes en la tierra, los leones del mar pueden nadar hasta 35 millas por hora.

4

SPOT WHALES FROM TRINIDAD HEAD

VER LAS BALLENAS DESDE TRINIDAD HEAD

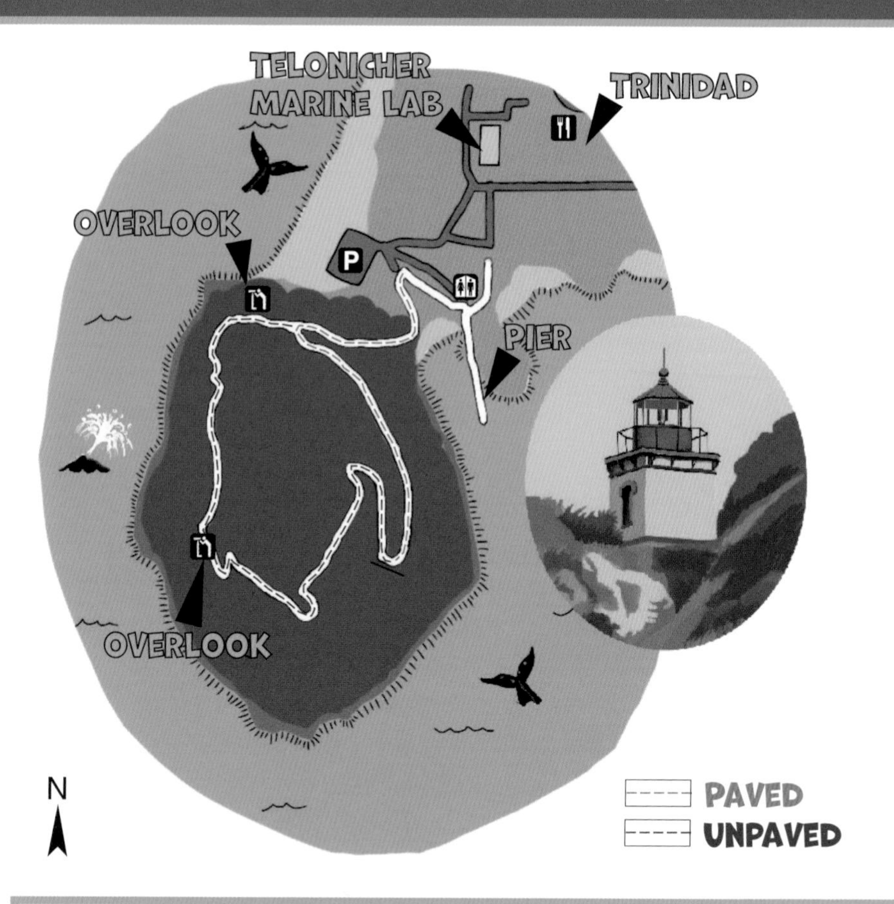

TRINIDAD HEAD (TSURAI TRAIL)

Length (Longitud): 1.2 miles

Difficulty (Dificultad): Moderate

Land management (Gestion de tierras): City of Trinidad, Bureau of Land Management

Access constraints (Restricciones de acceso): None

Dogs (Perros): Leashed

Bicycles (Bicicletas): No

Strollers (Cochecitos): No (nearby options exist for walking paved and hard-packed trails)

Bathroom (Baño): On the south side of the paved parking lot adjacent to the Seascape Restaurant.

Public Transport (Transporte público): HTA buses service Trinidad Park and Ride, a 0.6 mile walk each way.

YOUR ADVENTURE: The views in every direction from the Head are stunning almost no matter what the weather. Although the initial climb up the Head is steep, it is short. There are several highly recommended ways to extend the walk including a walk out on the Trinidad pier, perhaps a visit to the Seascape restaurant adjacent to the pier, or Trinidad State Beach. And a short drive away is the trailhead for Elk Head and the sheltered beach at College Cove.

GETTING THERE: Drive north on US 101 22.2 miles to Exit 728 (Trinidad). Take a left on Westhaven Drive S./Main Street proceeding west underneath US 101 for 0.2 mile. Turn left on Trinity Street and proceed to the T-junction. Turn right on Edwards Street (0.2 mile) and left on Lighthouse Road. Lighthouse Road descends steeply for 0.1 mile. Paved parking is available to the left and abundant unpaved parking is straight ahead from the end of Lighthouse Road.

SU AVENTURA: Las vistas en cual quier dirección del promontorio son impresionantes no importa el clima. Aunque la subida inicial es inclinada, es corta. Hay varias maneras muy recomendadas para extender la caminata al muelle de Trinidad, a lo mejor una visita al restaurante Seascape al lado del muelle, o la playa estatal de Trinidad. Y un viaje corto es la entrada de Elk Head y la playa resguardada en College Cove.

CÓMO LLEGAR: Maneje al norte en US 101 por 22.2 millas a la salida 728 (Trinidad). Gire a la izquierda en Westhaven Drive S./Main Street proceda al oeste debajo de US 101 por 0.2 millas. Gire a la izquierda en la calle Trinity y proceda a la unión en T. Gire a la derecha en la calle Edwards (0.2 millas) y a la izquierda en la calle Lighthouse. La calle Lighthouse baja considerablemente por 0.1 millas. Estacionamiento pavimentado está disponible a la izquierda y más estacionamiento no pavimentado al todo derecho de la calle Lighthouse.

THE ROUTE: The trail around the Headlands can be started either on the paved road that leaves from the border of the paved and unpaved lots or by climbing the stairs at the south end of the unpaved parking lot. The only real decision that must be made comes at the top of the steep climb (0.2) on the paved road that serves as the trail and the lighthouse access road. Do you go left and clockwise around the Head or straight (on the dirt trail) and counterclockwise around the Head (1.2)? The route has benches regularly spaced along the way and several spur trails with nice views (be careful with children as some of the spur trails are exposed and some have uneven footing). I recommend going counterclockwise in order to have the prevailing northwest winds at your back on the less protected side of the walk. Another note of caution: the trail on the south side has extensive growth of poison oak. Be sure and keep children on the trail.

LA RUTA: El sendero cerca de los promontorios se puede empezar desde la calle pavimentada que sale del borde de los estacionamientos pavimentados y no pavimentados o subiendo las escaleras al lado sur del estacionamiento no pavimentado. La única decisión real que se tiene que tomar viene en la cima de la subida inclinada (0.2) en la calle pavimentada que sirve como el sendero y la calle de acceso al faro. ¿Usted va a la izquierda y en el sentido de las agujas del reloj alrededor del promontorio o todo derecho (en el sendero de tierra) en el sentido contrario a las agujas del reloj alrededor del promontorio (1.2)? La ruta tiene bancas colocadas regularmente por el camino y varios senderos secundarios con buenas vistas (ten cuidado con los niños porque los senderos secundarios son expuestos y algunos son desnivelados). Yo recomiendo ir en el sentido contrario a las agujas del reloj para tener los vientos predominantes del noroeste en su espalda en el lado menos protegido en la caminata. Otro punto de cuidado es el sendero en el lado sur tiene un crecimiento extensivo de hiedra venenosa. Asegúrese que los niños se mantengan en el sendero.

TRINIDAD HEAD SCAVENGER HUNT

BÚSQUEDA DEL TESORO EN TRINIDAD HEAD

GLOBAL AIR MONITORING STATION

On top of Trinidad Head notice a collection of towers and buildings. This is one of six global monitoring stations that measure the planet's air quality. With others in remote locations like the top of the Greenland ice sheet, Barrow, Alaska, the top of Mauna Loa in Hawaii, and Antarctica, why Trinidad Head? It is perfectly suited because Trinidad Head experiences prevailing winds off the ocean and there are no nearby population centers (especially to the west). Take a deep breath!

Encima de Trinidad Head mire a una colección de torres y edificios. Esta es una de las seis estaciones globales de monitoreo que miden la calidad del aire del planeta. Con otros en lugares más rurales como encima de la capa de hielo de Groenlandia, Barrow, Alaska, lo más alto de Mauna Loa en Hawaii, y Antártica. ¿Por qué Trinidad Head? Es perfectamente apropiado porque Trinidad Head tiene vientos predominantes del mar y no hay centros cercanos de población (especialmente al oeste). ¡Tome una respiración profunda!

TRINIDAD HEAD LIGHTHOUSE

On the 1st Saturday of each month from 10 am – 12 (noon) the lighthouse on the south side of Trinidad Head is open to the public. Initially built in 1871, its most famous encounter with the ocean occurred on December 31, 1914 when a monstrous 200-foot wave rose to the level of the lighthouse deck. The lighthouse still operates a navigational beacon.

El primer sábado de cada mes de 10 am – 12 pm (mediodía) el faro del lado sur de Trinidad Head está abierto al público. Inicialmente construido en 1871, su encuentro más famoso con el mar ocurrió el 31 de diciembre de 1914 cuando una ola monstruosa de 200 pies subió al nivel de la terraza del faro. El faro todavía opera una baliza de navegación.

GRAY WHALE MIGRATION

An estimated 19,000 gray whales annually move between the Bering Sea's food-rich waters and the warm, protected lagoons of Baja California where they give birth. They pass us going south from late autumn until mid-January and back north from late March through April. We have a ringside seat for their incredible migration. Slowly scan the ocean as far as you can see looking for a telltale wisp of spray, like smoke rising from the ocean surface. Once you spot a "blow," use your binoculars to get a closer view.

Anualmente, aproximadamente 19,000 ballenas grises se mueven entre las aguas saturadas de comida del Mar de Bering y las lagunas calientes, protegidas de Baja California donde dan a luz. Nos pasan hacia al sur desde finales de otoño hasta mitad de enero y al norte otra vez de finales de marzo hasta abril. Tenemos una silla de orilla de anillo para su migración increíble. Escanee lentamente el mar lo más lejos que pueda usted buscando si ve una voluta de spray notorio, como el humo desprendiendo de la superficie del mar. Cuando vea usted un soplo, use sus binoculares para ver más cercano

TOUCH TANK AT THE MARINE LAB

Visit the displays and touch tank at Cal Poly Humboldt's Telonicher Marine Lab (570 Ewing Street). After you enjoy the series of public aquariums, pass through the east door and stick your hand in the touch tank. Feel a starfish. Pick up a chiton. Touch a sea urchin.

Visite las exhibiciones y tanque táctil en el laboratorio marino Telonicher de Cal Poly Humboldt (570 Ewing Street). Después de disfrutar una serie de acuarios públicos, pase por la puerta este y meta la mano en el tanque táctil. Toque una estrella del mar. Levante un chiton. Toque un erizo de mar.

BLOWHOLE

When the tide and waves are high enough, watch for a plume of misty spray shoot above the top of Pewetole Island, the island just offshore from Trinidad State Beach. The best views are from the first and second set of benches on the north side of the Head. A blowhole occurs when a sea cave grows landward and has an upside opening. When water enters the cave it is pushed through the small hole exploding upwards, in the case of the Pewetole Island blowhole, as much as 20–30 feet into the air.

Cuando la marea y las olas son suficientemente altas, mira por si hay una pluma de espray neblinoso levantada arriba de la cima de la isla Pewetole, la isla cercana a la costa de la playa estatal de Trinidad. Las mejores vistas son desde el primer y segundo juego de bancas del lado norte del Head. Un orificio nasal ocurre cuando una cueva del mar crece hacia la costa y tiene una apertura hacia arriba. Cuando el agua entra a la cueva, se puja por el hoyo pequeño explotando hacia arriba, en el caso del orificio nasal de la isla de Pewetole, hasta 20-30 pies en el aire.

TRINIDAD HEAD SCAVENGER HUNT
BÚSQUEDA DEL TESORO EN TRINIDAD HEAD

TIDE POOLING

Be Safe:
- Watch the ocean.
- Know the tide.
- Protect your feet.

Be Respectful:
- Leave no trace.
- Be careful where you step.

Cuídese:
- Mire el océano.
- Conoce la marea.
- Protege tus pies.

Se respetuoso:
- No deje rastro.
- Tenga cuidado donde pisa.

5

THE FOOTPRINT OF TRAINS

LA HUELLA DE TRENES

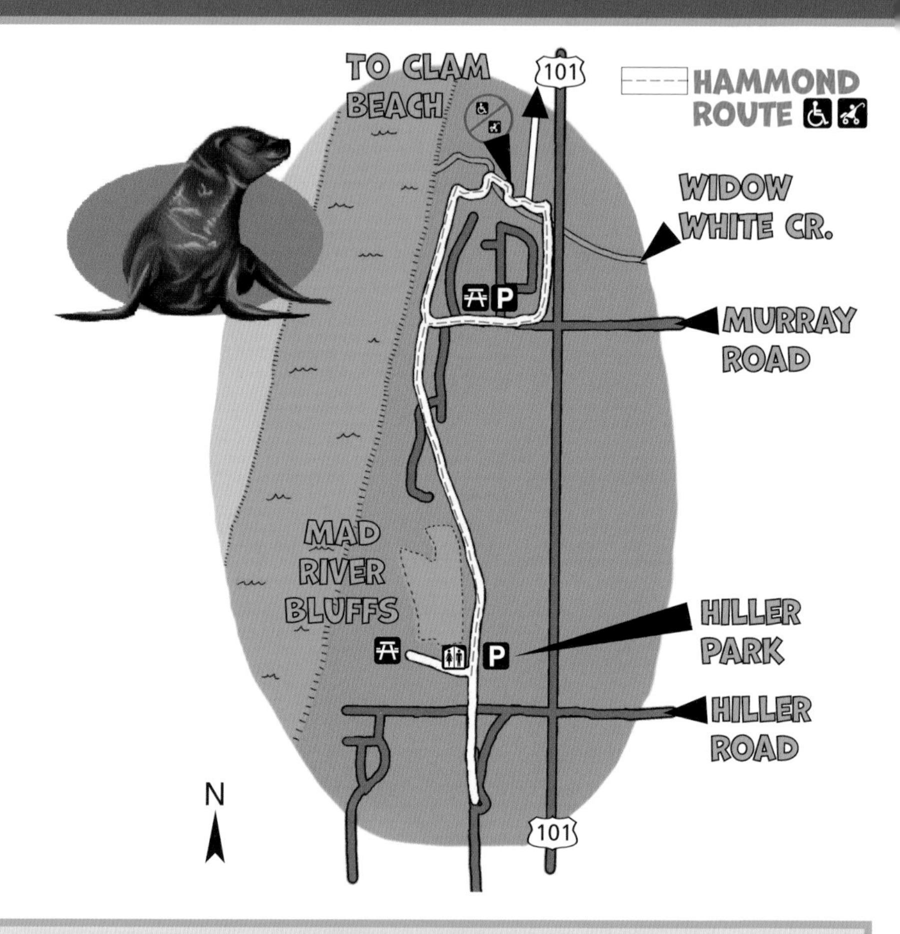

THE HAMMOND TRAIL

Length (Longitud): 1.6-3.0 miles with other options

Difficulty (Dificultad): Moderate

Land management (Gestion de tierras): County of Humboldt

Access constraints (Restricciones de acceso): None

Dogs (Perros): Leashed

Bicycles (Bicicletas): Yes

Strollers (Cochecitos): Yes

Bathroom (Baño): Hiller Park and Clam Beach County Park

Public Transport (Transporte público): HTA buses stop near Murray Road and McKinleyville Avenue near the High School requiring a 0.6 mile walk each way.

YOUR ADVENTURE: This multi-use trail has the distinction of being Humboldt County's most popular and for good reason. It is convenient, well-maintained, and offers many access and route options. The suggested partial loop includes views of the Mad River and a picturesque crossing of the Widow White Creek along a short interpretive segment. This portion of the California Coastal Trail follows the right-of-way of the railroad the Hammond Lumber Company used to transport logs to their Samoa mill until 1961.

GETTING THERE: There are innumerable points of access to the Hammond Trail. The suggested walk (3 miles) starts at Hiller Park or the Murray Road trailhead (1.6 miles). Hiller Park can be reached by driving US 101 north for 11 miles taking the Central Avenue exit just as you cross the Mad River bridge. Continue north for 1.8 miles to Hiller Road. Turn left onto Hiller Road and continue west for 1.0 mile. Turn right on Fischer Road into the Hiller Park complex. The Murray Road trailhead and parking involves driving north on US 101 for 14 miles

TU AVENTURA: Este sendero de multiuso tiene la distinción de ser el más popular del condado de Humboldt y por buena razón. Es conveniente, bien mantenido, y ofrece varias opciones de ruta y acceso. La vuelta parcial sugerida incluye vistas del Río Mad y puntos pintorescos para cruzar el arroyo Widow White Creek a través de un segmento interpretativo corto. Esta porción del sendero de la costa de California sigue el derecho de paso del ferrocarril de la compañía de madera Hammond que usaba para transportar leña a su molino de Samoa hasta 1961.

CÓMO LLEGAR: Hay puntos de acceso innumerables al sendero Hammond. La caminata sugerida (3 millas) empieza en al parque Hiller en la entrada al sendero de Murray Road (1.6 millas). Al parque de Hiller se puede llegar por el US 101 al norte por 11 millas tomando la salida hacia Central Avenue justo cuando cruza usted el puente de Mad River bridge. Siga al norte por 1.8 millas a Hiller Road. Gire a la izquierda en Hiller Road y siga al oeste por 1.0 millas. Gire a la derecha en Fischer Road en el complejo de Hiller Park. La entrada del sendero de Murray

to the Murray Road exit. Turn left on Murray Road and drive west for .4 mile to the small parking area. Approximate driving time, 20 minutes.

THE ROUTE: Hiller Park is 1.4 miles from the south end of the Hammond Trail and features sports fields, playground, dogpark, and access to the Mad River Bluffs trail network. Follow the paved trail north through a tunnel of overhanging trees to Knox Cove (0.5) and the Murray Road access trail (0.7). The trail continues unpaved, hugging the bluffs above the Mad River, turning right at a T-junction (the left turn drops quickly to the Mad River) switchbacking up to a stile and interpretive sign. Pass through the stile (horses and cyclists are prohibited) and descend the stairs to the bridged crossing of Widow White Creek and on to the south end of Letz Road (1.6). Return via the paved alternative that stays adjacent to US 101 back to Murray Road. Continue west on the sidewalk past the Murray Road trailhead (2.3) turning left at the T-junction. Return to Hiller Park (3.0).

Road y el estacionamiento involucra manejar al norte en US 101 por 14 millas a la salida Murray Road. Gire a la izquierda en Murray Road y maneje al oeste por 0.4 millas al área pequeña de estacionamiento. Tiempo de manejo, aproximadamente 20 minutos.

LA RUTA: El parque Hiller está a 1,4 millas del extremo sur de Hammond Trail y cuenta con campos deportivos, parque infantil, parque para perros y acceso a la red de senderos de Mad River Bluffs. Siga el sendero pavimentado hacia el norte a través de un túnel de árboles colgantes hasta Knox Cove (0,5) y el sendero de acceso de Murray Road (0,7). El sendero continúa sin asfaltar bordeando los acantilados sobre el río Mad y girando a la derecha en un cruce en forma de T (el giro a la izquierda desciende rápidamente hacia el río Mad), subiendo en zigzag hasta llegar a una balaustrada y una señal interpretativa. Atraviese el vallado (se prohíbe el paso de caballos y ciclistas) y descienda las escaleras hasta el puente que cruza el arroyo Widow White y el extremo sur de Letz Road (1,6). Vuelva por la alternativa asfaltada que permanece junto a la US 101 hasta Murray Road. Continúe

EUREKA & KLAMATH RIVER RAILROAD

It was 1900 when lumber baron Andrew Hammond purchased assets that included the mill town of Samoa and the Eureka & Klamath River Railroad. The railroad, with spurs sprinkled throughout the productive timberland from Little River north past Big Lagoon, was routed along Clam Beach and much of the current route of the Hammond Trail to the bridged crossing of the Mad River. From there tracks angled across the Arcata Bottoms to an intersection with lines from the east and south. In 1945, the railroad experienced major forest fire damage resulting in destruction of twenty-three bridges. Instead of repairing the railroad north of Crannell (Little River), Hammond concentrated on road construction and the use of trucks.

In 1961, Georgia-Pacific (who had purchased Hammond in 1956) discontinued the use of trains to haul logs from Crannell to its Samoa mill. The track from Crannell to Fischer's Siding (near the intersection with School Road) was dismantled in the summer of 1963, and the track from Samoa to Fischers Siding in the spring of 1966. A short track remnant is on display adjacent to the Hammond Trail north of Murray Road.

Fischer's Siding (early 1930s) near present day Hiller Park.

FERROCARRIL DEL RÍO EUREKA Y KLAMATH

Fue 1900 cuando el barón de la madera Andrew Hammond compró propiedades que incluyeron el pueblo de molino de Samoa y el ferrocarril de Eureka & Klamath River. El ferrocarril, con senderos secundarios puestos por el bosque maderable de Little River del norte a Big Lagoon, fue ruta a través de Clam Beach y mucha de la ruta actual del sendero Hammond al cruce del puente del Río Mad River. De allí, el ferrocarril cruza de forma diagonal por los Arcata Bottoms a una intersección con líneas del este y el sur. En 1945, el ferrocarril tuvo daño extremo de los incendios forestales resultando en la destrucción de veintitrés puentes. En vez de reparar el ferrocarril al norte de Crannell (Little River), Hammond se concentró en la construcción de calles y el uso de camionetas. En 1961, Georgia-Pacific (quién compro el Hammond en 1956) descontinuaron el uso de trenes para transportar leño de Crannell a su molino de Samoa. El ferrocarril de Crannell a Fischers Siding (cerca de la intersección con School Road) fue desarmado en el verano de 1963, y el ferrocarril de Samoa a Fischers Sidin en la primavera de 1966. Un retazo corto del ferrocarril se puede usar al lado del sendero Ham-mond al norte de Murray Road.

OTHER ROUTES: From the south end of Clam Beach County Park, a paved, flat stretch of the Hammond Trail makes a bridged crossing of Strawberry Creek and extends south paralleling US 101 through vegetation-covered dunes. The pavement ends (1.0) and the unpaved trail climbs to the Vista Point (1.3). The broad, firm and flat sand of Clam Beach offers options for walking and beach play. However, Clam Beach regularly appears on the list of California's most polluted beaches. While recent research has identified birds as the primary source of the fecal pollutants, be careful that young children do not ingest water.

hacia el oeste por la acera hasta pasar el inicio del sendero de Murray Road (2,3) y gire a la izquierda en.

OTRAS RUTAS: Desde del lado sur del parque Clam Beach County, una sección plana del sendero Hammond cruce con el puente por Strawberry Creek y se extiende al sur discurriendo paralelo a US 101 a través de dunas cubiertas en vegetación. Lo pavimentado termina (1.0) y el sendero no pavimentado sube a la punta de vista Vista Point (1.3). La arena extensa, firme, y plano de Clam Beach ofrece opciones para caminatas y juegos de playa. Sin embargo, Clam Beach aparece regularmente en la lista de las playas de California más contaminadas. Mientras una investigación reciente ha identificado los pájaros como la fuente primaria por la contaminación fecal, tenga cuidado que los niños no tomen el agua.

FIND A BENCH

There are lots of benches along the Hammond Trail. Find one along your walk that you particularly like. Get comfortable and pull out your adventure journal. Be very quiet and listen carefully. What do your hear? Animals? Wind? The roar of the ocean? People nearby? Draw a map that shows where the sounds are coming from and, even though you can't see sounds, what the sounds you hear look like. Perhaps you hear a dog barking in the distance or a bird chirping or the surf or the wind rustling branches. Try to draw what that sounds looks like to you.

ENCUENTRE UNA BANCA

Hay varias bancas a través del sendero Hammond. Encuentre una por la caminata que a usted le gusta particularmente. Acomódese bien y saque su libreta de aventura. Manténgase muy callado y escuche con cuidado. ¿Qué escucha? ¿Animales?¿Viento? ¿El rugido del mar? ¿Gente cercana? Dibuje un mapa que muestre de dónde vienen los sonidos y, aunque no puedes ver los sonidos, como se ven los sonidos que escucha usted. A lo mejor se escucha un perro ladrando en la distancia o un pájaro cantando o la marea o el viento susurrando en las ramas. Intenté dibujar lo que está escuchando a como se lo imagina.

HUMBOLDT BAY AREA

ANCESTRAL LANDS OF THE

WHILKUT, WIYOT, CHILULA, AND MAWENOK

With nearly 80,000 people or 60 percent of the population of Humboldt County living in the Humboldt Bay Area, it is surprising just how much access to nature there is around the bay. Second in size only to San Francisco Bay in California, Humboldt Bay is the largest of all protected bodies of water going north along the West Coast until the Puget Sound. Even though European explorers were desperate to find a harbor like Humboldt Bay along this stretch of coast, it remained little used by these explorers because the narrow entrance to harbor was both difficult to spot and treacherous to cross due to shifting sandbars. Even today, the notorious channel depends upon two long jetties and regular dredging for safe passage.

Much of the 14 miles of the bay's length is relatively shallow with nearly 40 percent of the total area comprised of intertidal mudflats. The extensive system of salt marshes that once ringed large portions of the bay has been diminished by 90 percent through reclamation efforts, railroad and highway construction. Still the bay is abundant with resident and migratory bird species that are featured on the **Humboldt Bay Trail North/Arcata Marsh and Wildlife Sanctuary** and the **Humboldt Bay Wildlife Refuge** walks.

The bay is rich with eelgrass which performs many important functions in a healthy estuary. As a result, Humboldt Bay is home to 100 fish and 300 invertebrate species including a robust oyster production industry. Even though each tidal cycle replaces more than 40 percent of the total volume of water in the bay, oysters depend on unpolluted water. As filter feeders, adult oysters pump up to 50 gallons of water through their gills capturing nutrients but also

Con casi 80,000 personas son el 60 por ciento de la población del condado de Humboldt viviendo en el área de la bahía de Humboldt, es sorprendente cuánto acceso a la naturaleza hay alrededor de la bahía. Segunda en tamaño después de la Bahía de San Francisco en California, la Bahía de Humboldt es la más grande de todas las masas de agua protegidas que van hacia el norte a lo largo de la costa oeste hasta Puget Sound. A pesar de que los exploradores europeos estaban desesperados por encontrar un puerto como la Bahía de Humboldt a lo largo de este largo tramo de costa, estos exploradores lo utilizaron poco porque la entrada estrecha al puerto era difícil de detectar y traicionera de cruzar debido a los bancos de arena móviles. Incluso hoy en día, el notorio canal depende de dos largos embarcaderos y del dragado regular para un paso seguro.

Gran parte de las 14 millas de longitud de la bahía es relativamente poco profunda, con casi el 40 por ciento del área total compuesta por marismas intermareales. El extenso sistema de marismas que una vez rodearon gran parte de la bahía se ha reducido en un 90 por ciento gracias a los esfuerzos de recuperación y la construcción de vías férreas y carreteras. Aún así, la bahía es abundante en especies de aves residentes y migratorias que se presentan en los senderos **Humboldt Bay Trail North/Arcata Marsh** and **Wildlife Sanctuary y Humboldt Bay Wildlife Refuge**.

La bahía es rica en hierba marina que realiza muchas funciones importantes en un estuario saludable. Como resultado, la Bahía de Humboldt alberga 100 especies de peces y 300 de invertebrados, incluyendo una sólida industria de producción de ostras. Aunque cada

contaminants. You can see oyster racks in the bay when crossing the Woodley Island bridges and from the trailhead of the **Ma-le'l Dunes North** walk.

The Wiyot People lived in villages sited along the rim of Humboldt Bay (Wigi), which they depended upon for food and transport. Although villages were linked by a trail system, travel between villages was far easier by dugout redwood canoe. Nomland and Kroeber observed that the Wiyot People "rarely slept beyond the smell of salt water [and] managed their lives so as to avoid more than an occasional putting to sea." Much changed with the arrival of shiploads of white settlers beginning in 1850.

On the **Waterfront Trail North** walk and the **Hikshari' Trail** walk, part of the 14-mile long Humboldt Bay Trail stretching from the Elk River (Hikshari') to Arcata, you have to imagine what life might have been like

ciclo de marea reemplaza más del 40 por ciento del volumen total de agua en la bahía, las ostras dependen del agua no contaminada. Como filtradores, las ostras adultas bombean hasta 50 galones de agua a través de sus branquias capturando nutrientes pero también contaminantes. Puede ver estantes de ostras en la bahía al cruzar los puentes de Woodley Island y desde el comienzo del sendero **Ma-le'l Dunes North**.

La gente de Wiyot vivía en aldeas ubicadas a lo largo del borde de la Bahía de Humboldt (Wigi), de las que dependían para su alimentación y transporte. Aunque las aldeas estaban unidas por un sistema de senderos, viajar entre aldeas era mucho más fácil en canoas de madera roja. Nomland y Kroeber observaron que los Wiyots "rara vez dormían más allá del olor del agua salada [y] manejaban sus vidas para evitar más que una salida al mar ocasional". Mucho cambió con la llegada de barcos llenos de colonos blancos a partir de 1850.

along the bay several centuries before. Since then, commercial and industrial development has come and gone several times leaving layers of history. Fishing, timber, dairy (**Freshwater Farms Reserve**), and more recently tourism. If you dig deep enough, there was a Chinatown in Eureka with its own sad history and racist demise. The **Elk River walk** to the site of Falk, an old logging town, has its own ghosts.

With walks in the **Arcata Community Forest** and **Sequoia Park** and the amazing **Sky Walk** at the Zoo, there are many options around Humboldt Bay that are just a short drive or bus ride away.

En la caminata Waterfront Trail North y la caminata Hikshari' Trail, parte del Humboldt Bay Trail de 14 millas de largo que se extiende desde el río Elk (Hikshari') hasta Arcata, debe imaginar cómo podría haber sido la vida a lo largo de la bahía durante varios siglos antes. Desde entonces, el desarrollo comercial e industrial ha ido y venido varias veces dejando capas de historia. Pesca, madera y, más recientemente, el lácteo (**Freshwater Farms Reserve**), y turismo. Si profundiza lo suficiente, había un barrio chino en Eureka con su propia historia triste y desaparición racista. **El paseo por el río Elk** hasta el sitio de Falk, un antiguo pueblo maderero, tiene sus propios fantasmas.

Con caminatas en **Arcata Community Forest** y **Sequoia Park** y el increíble **Sky Walk** en el zoológico también, hay muchas opciones alrededor de Humboldt Bay que están a poca distancia en automóvil o en autobús.

6

THERE IS SOMETHING ABOUT BIRDS

HAY ALGO ACERCA DE LAS AVES

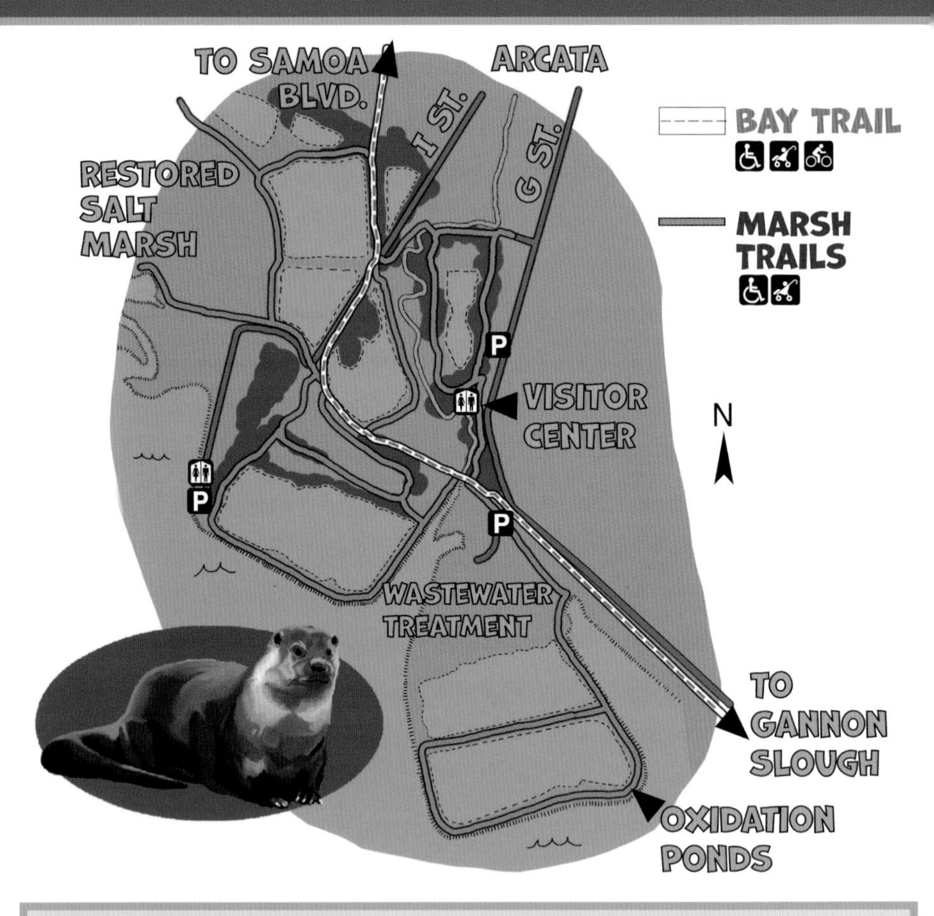

BAY TRAIL NORTH

Length (Longitud): up to 1.7 miles one-way

Difficulty (Dificultad): Easy

Land management (Gestion de tierras): City of Arcata (707) 826-2359

Access constraints (Restricciones de acceso): 4 am until one hour after sunset; recommend daylight hours

Dogs (Perros): Leashed

Bicycles (Bicicletas): Yes

Strollers (Cochecitos): Yes

Bathroom (Baño): None on Bay Trail North. Portable toilet at the South I Street parking lot and at the Marsh Interpretive Center

Public Transport (Transporte público): AMRT Gold Route stops at 6th and I and 6th and F, 0.7 from suggested trailhead.

YOUR ADVENTURE: This area includes opportunities to walk on the paved Bay Trail North or combine it with the network of hard-packed trails around the Arcata Marsh and Wildlife Sanctuary. It is an abundance of walking riches that invites exploration. Once familiar with the options, you can pick the best choice given your family's interests and abilities that may vary with each visit. Enjoy the bay views and the birdlife.

GETTING THERE: These are just two of the many access points and parking possibilities. Follow US 101 north for 6.8 miles taking the exit for CA 255 (Samoa Boulevard) west. This circles around to cross back over US 101 (0.5 mile). Merge onto Samoa Boulevard continuing west 0.3 mile to G Street (the first traffic light). The first option for access to the Marsh is to turn left on South G Street and proceed south for 0.5 mile. On the right side is a

TU AVENTURA: Esta área combina oportunidades para caminar en el Bay Trail North pavimentado o combinarlo con la red de senderos compactos alrededor de Arcata Marsh and Wildlife Sanctuary. Es una abundancia de riquezas andantes que invita a la exploración. Una vez que esté familiarizado con las opciones, puede elegir la mejor opción según los intereses y habilidades de su familia que pueden variar con cada visita. Disfrute de las vistas de la bahía y la avifauna.

CÓMO LLEGAR: Estos son solo dos de los muchos puntos de acceso y posibilidades de aparcamiento. Siga la US 101 norte durante 6,8 millas y tome la salida hacia CA 255 (Samoa Boulevard) oeste. Esto da la vuelta para volver a cruzar la US 101 (0,5 millas). Incorpórese a Samoa Boulevard y continúe hacia el oeste 0.3 millas hasta la calle G (el primer semáforo). La primera opción para acceder a Marsh

large parking area. Parking here necessitates a 0.2 mile walk to the Bay Trail North. The second parking option is to continue 0.3 mile further on South G Street before turning right into a small parking lot conveniently adjacent to the paved trail. Approximate driving time, 10 minutes.

THE ROUTE: Although the Bay Trail North extends both south beyond Gannon Slough and north beyond Samoa Blvd., the 1.7 miles between those points offers the best walking experience. The two suggested parking areas place you near the mid-point of this walk. Going south the trail follows the bay with views across expanses of wetlands. The benches and viewing platform (1.0) make a good place to turn around. Beyond this US 101 becomes a noisy distraction to the current end of the trail (2.0). It is expected that the remaining 4.5 miles to Eureka will be completed in 2024. Going north the trail snakes through the middle of the Marsh, providing access to a number of Marsh trails. The trail exits the Marsh and quickly reaches Samoa Blvd at 0.7 miles which serves as a good turnaround. The trail does cross Samoa Blvd. and continues another 1.3 miles but becomes more of an urban walk.

es girar a la izquierda hacia el sur de la calle G y continuar hacia el sur durante 0.5 millas. En el lado derecho hay una amplia zona de aparcamiento. El estacionamiento aquí requiere una caminata de 0.2 millas hasta Bay Trail North. La segunda opción de estacionamiento es continuar 0.3 millas más en la calle G al sur antes de girar a la derecha en un pequeño estacionamiento convenientemente adyacente al sendero pavimentado. Tiempo aproximado de conducción, 10 minutos.

LA RUTA: Aunque Bay Trail North se extiende hacia el sur más allá de Gannon Slough y hacia el norte más allá de Samoa Blvd., las 1.7 millas entre esos puntos ofrecen la mejor experiencia para caminar. Las dos áreas de estacionamiento sugeridas lo ubican cerca del punto medio de esta caminata. Yendo hacia el sur, el sendero sigue la bahía con vistas a través de extensiones de humedales. Los bancos y la plataforma de observación (1.0) son un buen lugar para dar la vuelta. Más allá de esto, la US 101 se convierte en una distracción ruidosa hacia el final actual del camino (2.0). Se espera que las 4.5 millas restantes hasta Eureka se completen en 2024. Yendo hacia el norte, el sendero serpentea a través del medio del pantano, brindando acceso a varios senderos del pantano. El sendero sale de Marsh y rápidamente llega a Samoa Blvd a 0.7 millas, lo que sirve como un buen cambio. El sendero cruza Samoa Blvd. y continúa otras 1.3 millas pero se vuelve más un paseo urbano.

BAY TRAIL NORTH SCAVENGER HUNT

SENDERO DE LA BAHÍA AL NORTE BÚSQUEDA DEL TESORO

GODWITS

Each April, Arcata hosts Godwit Days, an extended festival focused on bird-watching and named to honor a bird common on local beaches and mudflats—the godwit. This long-legged bird probes the mud with its lengthy bill looking for aquatic worms and mollusks. Through the winter they flock where there is ample food, like Humboldt Bay, before migrating to the northern Great Plains for breeding.

Cada mes de abril, Arcata organiza los Días de las Agujas, un festival prolongado centrado en la observación de aves y llamado así en honor a un ave común en las playas y marismas locales: las agujas. Esta ave de patas largas sondea el lodo con su largo pico en busca de gusanos y moluscos acuáticos. Durante el invierno acuden en masa donde hay abundante comida, como la bahía de Humboldt, antes de migrar al norte de las Grandes Llanuras para reproducirse.

SALT MARSH

Salt marshes are coastal wetlands that are flooded and drained by salt water brought in by the tides. These marshes are dominated by dense stands of salt-tolerant plants such as herbs, grasses, or shrubs. They also play an important role in shoreline protection and have a huge impact on the delivery of nutrients to coastal waters. In 1854, it was estimated that there were 10,500 acres of salt marsh around Humboldt Bay. Only about 10 % remains today. There have been recent salt marsh restoration efforts on the west side of the Marsh.

Las marismas son humedales costeros que se inundan y drenan con el agua salada que traen las mareas. Estos pantanos están dominados por densos rodales de plantas tolerantes a la sal, como hierbas, pastos o arbustos. También juegan un papel importante en la protección de la costa y tienen un gran impacto en el suministro de nutrientes a las aguas costeras. En 1854, se estimó que había 10 500 acres de marismas alrededor de la bahía de Humboldt. Solo alrededor del 10 % permanece hoy. Ha habido esfuerzos recientes de restauración de marismas en el lado oeste de Marsh.

SCAVENGER HUNT

BÚSQUEDA DEL TESORO

MARSH SEWAGE TREATMENT PLANT

When the Clean Water Act (1972) changed how wastewater treatment plants dealt with their discharge, several communities around Humboldt Bay lobbied for an expensive regional treatment facility. Instead, the City of Arcata pursued an alternative, a series of freshwater wetlands using natural biological processes to help purify wastewater. These marshes function as the final step in the treatment process for the wastewater before being disinfected and released to the bay. The Marsh was dedicated in July, 1981, and has been emulated around the world. Go check out the displays in the Arcata Marsh Interpretive Center.

Cuando la Ley de Agua Limpia (1972) cambió la forma en que las plantas de tratamiento de aguas residuales trataban su descarga, varias comunidades alrededor de la Bahía de Humboldt presionaron por una costosa instalación regional de tratamiento. En cambio, la ciudad de Arcata buscó una alternativa, una serie de humedales de agua dulce que utilizan procesos biológicos naturales para ayudar a purificar las aguas residuales. Estos pantanos funcionan como paso final en el proceso de tratamiento de las aguas residuales antes de ser desinfectadas y vertidas a la bahía. El Marsh se inauguró en julio de 1981 y ha sido emulado en todo el mundo. Ve a ver las exhibiciones en el Centro de Interpretación de Arcata Marsh.

MARSH INTERPRETIVE CENTER

RIVER OTTERS

If you are lucky, you might see a river otter (no sea otters on the North Coast) around the Marsh. More likely you may spot a narrow, well-worn muddy otter path that connects two ponds. Watch for easily overlooked small clumps of minuscule broken crab shells, bones, and feather remnants near these paths. This is a kind of public toilet known as a "latrine." These latrines work like bulletin boards, communicating gender, age and whether a female is fertile through each otter's scat. In the matriarchal otter world, family groups are comprised of a mother, her daughters, and juvenile sons. Older males roam in packs. These families have relatively stable territories.

Si tiene suerte, es posible que vea una nutria de río (no hay nutrias marinas en la costa norte) alrededor del pantano. Lo más probable es que veas un camino de nutrias fangoso, angosto y desgastado que conecta dos estanques. Esté atento a pequeños grupos de minúsculos caparazones de cangrejo rotos, huesos y restos de plumas que se pasan por alto cerca de estos caminos. Este es un tipo de baño público conocido como "letrina". Estas letrinas funcionan como tablones de anuncios, comunican el género, la edad y si una hembra es fértil a través del excremento de cada nutria. En el mundo de la nutria matriarcal, los grupos familiares están compuestos por una madre, sus hijas y sus hijos menores. Los machos mayores deambulan en manadas. Estas familias tienen territorios relativamente estables.

MORE TO EXPLORE: ARCATA MARSH AND WILDLIFE SANCTUARY

The Bay Trail North bisects the Arcata Marsh and Wildlife Sanctuary and its 5-miles of flat, hard-packed trails. Most of the Marsh trails can be accessed from the Bay Trail North creating an almost infinite combination of possibilities for the walker. A number of interpretive signs, covered 'blinds,' and benches are placed throughout the Marsh. Over 330 different species of birds have been identified at the Marsh and the views of the shallow mudflats and bay are best from the Oxidation Ponds and Klopp Lake. Don't worry about getting lost at the Marsh, as there are many loop trails that lead back and around to where you began. Plus, you can often see the main parking areas from the trails.

MÁS PARA EXPLORAR:

PANTANO DE ARCATA Y SANTUARIO DE VIDA SILVESTRE

El Bay Trail North divide el Arcata Marsh and Wildlife Sanctuary y sus 5 millas de senderos llanos y compactos. Se puede acceder a la mayoría de los senderos de Marsh desde Bay Trail North creando una combinación casi infinita de posibilidades para el caminante. Se colocan varios letreros interpretativos, "persianas" cubiertas y bancos en todo el pantano. Se han identificado más de 330 especies diferentes de aves en Marsh y las vistas de las marismas poco profundas y la bahía son mejores desde Oxidation Ponds y Klopp Lake. No se preocupe por perderse en Marsh, ya que hay muchos senderos circulares que conducen de regreso a donde comenzó. Además, a menudo puedes ver las principales áreas de estacionamiento desde los senderos.

SELECT BIRDS OF THE MARSH

SELECCIONE AVES DEL PANTANO

DUCKS AND GEESE

Over 30 species of ducks have been seen at the Arcata Marsh, most commonly in the winter months.

Se han visto más de 30 especies de patos en Arcata Marsh, más comúnmente en los meses de invierno.

EGRETS & HERONS

These species have long legs and sharp bills for hunting fish and other animals in the marsh.

Estas especies tienen patas largas y picos afilados para cazar peces y otros animales en el pantano.

SHOREBIRDS

Over 30 species of shorebirds have been seen at the Arcata Marsh, most commonly in the spring and fall as they migrate.

Se han visto más de 30 especies de aves playeras en Arcata Marsh, más comúnmente en la primavera y el otoño mientras migran.

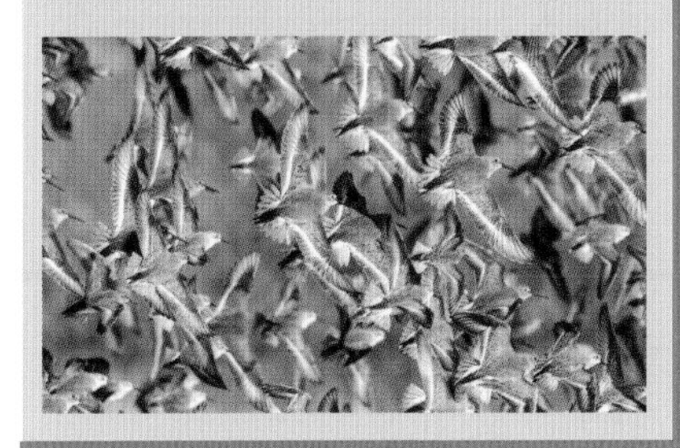

SONGBIRDS

Well over 100 species visit or live at the marsh each year. They are often heard singing in spring and summer.

Más de 100 especies visitan o viven en el pantano cada año. A menudo se les escucha cantar en primavera y verano.

7

COMMUNITY WONDERLAND

BOSQUE COMUNITARIO DE ARCATA

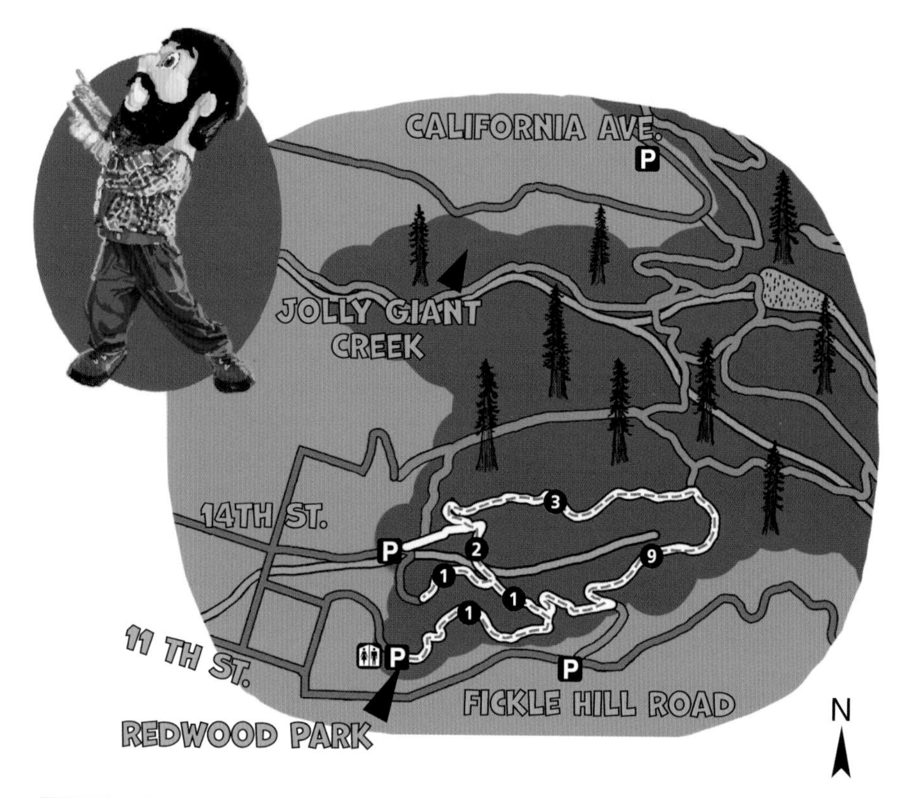

COMMUNITY FOREST LOOP — OTHER TRAILS

ARCATA COMMUNITY FOREST

Length (Longitud): 2 miles

Difficulty (Dificultad): Moderate

Land management (Gestion de tierras): City of Arcata (707) 822-5951

Access constraints (Restricciones de acceso): Closed sunset to sunrise

Dogs (Perros): Leashed

Bicycles (Bicicletas): Yes (not on all trails)

Strollers (Cochecitos): No

Bathroom (Baño): Public restrooms exist at Redwood Park Lodge/Lounge.

Public Transport (Transporte público): AMRT Red Route stops at 14th and Union, 0.4 from suggested trailhead.

YOUR ADVENTURE: This is a good way to dip your toes into the more than 14 miles of trails that blanket the Community Forest. This mature second growth forest is sustainably managed by the City of Arcata. By using Redwood Park at the trailhead, there is a playground and picnic area at the beginning and end.

GETTING THERE: Take US 101 North for 6.8 miles to the Old Arcata Road/Sunny Brae exit staying right at fork. In .5 mile take the third exit (Union Street) from the traffic circle. Proceed up the steep hill to 12th Street (0.6 mile). Turn right onto 12th and left on Bayview (0.1 mile). Follow Bayview Street for 0.3 mile to the Redwood Park parking area. Approximate driving time, 12 minutes.

TU AVENTURA: Esta es una buena manera de sumergir los dedos de los pies en las más de 14 millas de senderos que cubren el Bosque Comunitario. Este bosque maduro de segundo crecimiento es manejado de manera sostenible por la Ciudad de Arcata. Al usar Redwood Park en el comienzo del sendero, hay un área de juegos para niños y un área de picnic al principio y al final.

CÓMO LLEGAR: Tome la US 101 Norte durante 6,8 millas hasta la salida Old Arcata Road/Sunny Brae manteniéndose a la derecha en la bifurcación. En 0,5 millas tome la tercera salida (Union Street) desde la rotonda. Suba la empinada colina hasta la calle 12 (0,6 millas). Gire a la derecha en 12th y a la izquierda en Bayview (0,1 milla). Siga por Bay-view Street durante 0,3 millas hasta la zona de aparcamiento de Redwood Park. Tiempo aproximado de conducción, 12 minutos.

THE ROUTE: Redwood Park – Trail #1 - #9 - #3 - #2 - #1 (2.0 miles). The trails are well signed. Cross Redwood Park to the east side where several signs mark the entrance to the Community Forest and Trail #1. Follow Trail #1 as it climbs through mature stands of second growth redwoods to an intersection with Trail #9 (0.5). Turn left on Trail #9 following it to the intersection with Trail #3 (0.9). Walk Trail #3 as it descends through the forest to an intersection with Trail #2 (1.4). Trail #3 exits to the 14th Street entrance to the park in 0.1 mile. Turn left on Trail #2 and follow it to an intersection with Trail #1 (1.5). By turning right on Trail #1 and crossing the bridge you quickly reach the parking lot on the northeast side of Redwood Park. By continuing left on Trail #1 the trail climbs briefly before crossing a small tributary of Campbell Creek and returning to Redwood Park (2.0). This walk gives you a glimpse into the abundance of possibilities available in the Community Forest.

LA RUTA: Redwood Park – Sendero #1 - #9 - #3 - #2 - #1 (2.0 millas). Los senderos están bien señalizados. Cruce Redwood Park hacia el lado este, donde varios letreros marcan la entrada al Community Forest and Trail #1. Siga el sendero n.º 1 a medida que sube a través de rodales maduros de secuoyas secundarias hasta una intersección con el sendero n.º 9 (0,5). Gire a la izquierda en el sendero n. ° 9 y sígalo hasta la intersección con el sendero n. ° 3 (0.9). Camine por el sendero n.° 3 a medida que desciende por el bosque hasta una intersección con el sendero n.° 2 (1.4). El sendero n. ° 3 sale a la entrada de la calle 14 al parque en 0.1 milla. Gire a la izquierda en el sendero n.° 2 y sígalo hasta una intersección con el sendero n.° 1 (1,5). Al girar a la derecha en el sendero #1 y cruzar el puente, llegará rápidamente al estacionamiento en el lado noreste de Redwood Park. Al continuar a la izquierda en el Sendero #1, el sendero sube brevemente antes de cruzar un pequeño afluente de Campbell Creek y regresar a Redwood Park (2.0). Esta caminata le da una idea de la abundancia de posibilidades disponibles en el Bosque Comunitario.

MAD ABOUT MUSHROOMS

When the rains begin each fall, strange organisms begin to emerge from the soil across the county. These are mushrooms! Mushrooms are not plants, which produce their own food through the process of photosynthesis. Instead, mushrooms are more like you because they have to eat other organisms to survive. Unlike humans, which have to chew and swallow food to then digest it inside, mushrooms send out powerful enzymes to break down and then absorb organic matter outside of their *bodies*! In fact, mushrooms are so different than plants and animals (and bacteria and protists for that matter) that they form their own unique Kingdom of Life. Mushrooms are both amazingly different and vitally important to all of Earth's ecosystems in their role as decomposers and the creation of nutrient-rich soil.

Cuando comienzan las lluvias cada otoño, extraños organismos comienzan a emerger del suelo en todo el condado. ¡Estos son hongos! Los hongos no son plantas, que producen su propio alimento a través del proceso de fotosíntesis. En cambio, los hongos se parecen más a ti porque tienen que comer otros organismos para sobrevivir. A diferencia de los humanos, que tienen que masticar y tragar los alimentos para luego digerirlos, los hongos envían poderosas enzimas para descomponer y luego absorber la materia orgánica fuera de sus cuerpos. De hecho, los hongos son tan diferentes a las plantas y los animales (y las bacterias y los protistas) que forman su propio Reino de la Vida. Los hongos son asombrosamente diferentes y de vital importancia para todos los ecosistemas de la Tierra en su papel como descomponedores y en la creación de suelos ricos en nutrientes.

HISTORY OF THE ARCATA COMMUNITY FOREST

Dedicated in May, 1955 as the first municipally owned community forest in California, the nearly 800-acre Arcata Community Forest has provided a dependable revenue stream through sustainable timber harvests, offered a rich network of multi-use trails and roads, and until 1964 was the primary source of Arcata's municipal water supply (the empty Jolly Giant reservoir on Trail #8 remains from that period).

Much of the early history of the forestland following the arrival of white settlers was about cutting trees down. The first mill was established in 1853 and by about 1908, the last of the virgin timber had been removed from the western slopes of Fickle Hill. Several watersheds were tapped to provide water for Arcata. But the private utility was dogged by water quality problems and erratic supply. When the City of Arcata ultimately purchased the water utility in 1935, much what we consider the Community Forest came with it. But it really was not until Arcata looked elsewhere for dependable water in the early 1960s that the door was opened for broader recreational use of the Community Forest.

Redwood Park had a different inception. In 1904 the Union Water Company donated 26 acres of second growth redwoods to the City of Arcata. This area is known now and was then as Redwood Park. Redwood Park also was the site of a dance platform and band shell, picnic tables, and for nearly three decades, an auto park. It is now in the midst of a comprehensive makeover.

The success of the Arcata Community Forest has inspired the creation of the McKay Community Forest (nearly 1,200 acres) and the McKinleyville Community Forest (553 acres) through acquisition of industrial timberland. There are 31 miles of multi-use roads and trails (including 1.5 miles of ADA trails) slated to be gradually built in the McKay. The McKinleyville property is not as far along in the planning process.

HISTORIA DEL BOSQUE COMUNITARIO DE ARCATA

Dedicado en mayo de 1955 como el primer bosque comunitario de propiedad municipal en California, el Bosque Comunitario Arcata de casi 800 acres ha proporcionado un flujo de ingresos confiable a través de la extracción sostenible de madera, ofreció una rica red de senderos y caminos de usos múltiples, y hasta 1964 fue la fuente principal del suministro de agua municipal de Arcata (el depósito Jolly Giant vacío en el sendero # 8 permanece de ese período).

Gran parte de la historia temprana de las tierras forestales después de la llegada de los colonos blancos se trataba de talar árboles. El primer molino se estableció en 1853 y alrededor de 1908, la última madera virgen se había extraído de las laderas occidentales de Fickle Hill. Se aprovecharon varias cuencas hidrográficas para proporcionar agua a Arcata. Pero la empresa de servicios públicos privada se vio afectada por problemas de calidad del agua y un suministro errático. Cuando la Ciudad de Arcata finalmente compró el servicio de agua en 1935, gran parte de lo que consideramos el Bosque Comunitario vino con él. Pero realmente no fue hasta que Arcata buscó en otra parte agua confiable a principios de la década de 1960 que se abrió la puerta para un uso recreativo más amplio del Bosque Comunitario.

Redwood Park tuvo un comienzo diferente. En 1904, Union Water Company donó 26 acres de secoyas de segundo crecimiento a la ciudad de Arcata. Esta área se conoce ahora y entonces como Redwood Park. Redwood Park también fue el sitio de una plataforma de baile y una banda de música, mesas de picnic y, durante casi tres décadas, un estacionamiento para automóviles. Ahora se encuentra en medio de un cambio de imagen integral.

El éxito del Bosque Comunitario Arcata inspiró la creación del Bosque Comunitario McKay (casi 1,200 acres) y el Bosque Comunitario McKinleyville (553 acres) a través de la adquisición de terrenos madereros industriales. Estas son 31 millas de caminos y senderos de usos múltiples (que incluyen 1.5 millas de senderos ADA) programados para ser construido gradualmente en el McKay. La propiedad de McKinleyville no está tan avanzada en el proceso de planificación.

8

COHO, COWS, AND CATTAILS

COHO, VACAS Y ESPADAÑAS

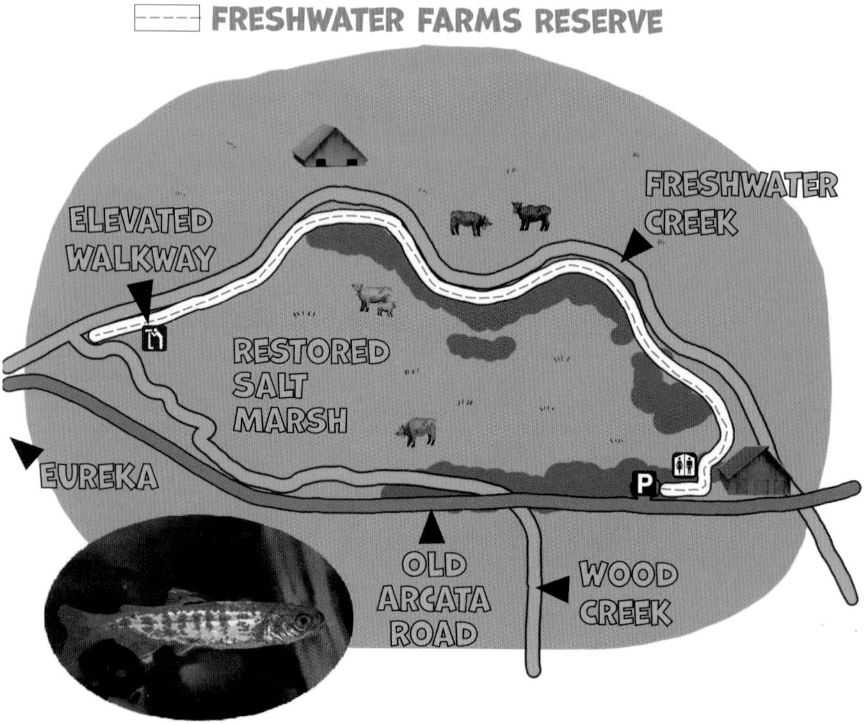

FRESHWATER FARMS RESERVE

FRESHWATER FARMS RESERVE

Length (Longitud): 1.5 miles

Difficulty (Dificultad): Easy

Land management (Gestion de tierras): Northcoast Regional Land Trust; (707) 822-2242

Access constraints (Restricciones de acceso): Open 9 am – 6 pm

Dogs (Perros): No

Bicycles (Bicicletas): No

Strollers (Cochecitos): Some sections.

Bathroom (Baño): Yes

Public Transport (Transporte público): No.

YOUR ADVENTURE: Located in an area historically dominated by tidal wetlands, the Freshwater Farms Nature Reserve property was originally converted to pasture in the early 1900s and functioned as a dairy farm. Under the more recent stewardship of the Northcoast Regional Land Trust, this 74-acre property includes active bottomland pasture, wetland restoration of lower Wood Creek, the Graham-Long Barn, the California Native Plant Society nursery, and a pleasant walk along Freshwater Slough.

TU AVENTURA: Situada en una zona dominada históricamente por humedales mareales, la propiedad de la Reserva Natural de Freshwater Farms se convirtió originalmente en zona de pastos a principios del 1900 y funcionó como granja lechera. Bajo la administración más reciente del Northcoast Regional Land Trust, esta propiedad de 74 acres incluye tierras de pastoreo activas, la restauración de los humedales de la parte baja de Wood Creek, el granero Graham-Long, el vivero de la California Native Plant Society y un agradable paseo a lo largo de Freshwater Slough.

GETTING THERE: Drive on US 101 north 0.5 mile. Turn right on Myrtle Avenue and continue for 4.2 miles. Approximate driving time, 10 minutes.

THE ROUTE: The packed gravel trail begins from the east side of the parking area skirting the barn. The trail turns left (0.1) and follows a grassy road quickly approaching Freshwater Slough which it parallels to the trail's end. There are informational signs along the way. At 0.6 mile the trail narrows and tightropes along the levee passing a short elevated boardwalk and on to the end (0.75).

CÓMO LLEGAR: Conduzca por la US 101 hacia el norte 0,5 millas. Gire a la derecha en Myrtle Avenue y continúe 4,2 millas. Tiempo aproximado de conducción: 10 minutos.

LA RUTA: El sendero de grava comienza en el lado este de la zona de parkeo bordeando el granero. El sendero gira a la izquierda (0,1) y sigue un camino cubierto de hierba que se acerca rápidamente a Freshwater Slough, al que sigue en paralelo hasta el final del sendero. Hay señales informativas a lo largo del camino. A 0,6 millas el sendero se estrecha y se estrecha a lo largo del dique pasando por un corto paseo elevado y hasta el final (0,75).

GRAHAM-LONG DAIRY BARN

There were once nearly 7 million barns in America. Now there are less than a million. This reflects the general decline in the number of small farms, the expense of maintaining old barns, and that fewer farms need big barns. Built in 1910, this historic building along with the milking parlor next door once supported a dairy operation.

Antes había casi 7 millones de graneros en Estados Unidos. Ahora hay menos de un millón. Esto refleja la disminución general del número de granjas pequeñas, el gasto que supone mantener los graneros antiguos y que cada vez menos granjas necesitan graneros grandes. Construido en 1910, este edificio histórico, junto con la sala de ordeño sirvió en su día de apoyo a una explotación lechera.

WOOD CREEK RESTORATION

Beginning in 2009 with the removal of a tide gate that had been located just beyond the end of the trail, a series of steps were taken to create a habitat for juvenile Coho salmon (and other fish). Ponds and channels were excavated, hummocks were created, and native plants replaced invasive ones. These wetlands are a place for salmon to safely mature before venturing to the Ocean for their adult life.

Comenzando en 2009 con la eliminación de una compuerta de marea que se había situado justo al final del sendero, se tomaron una serie de medidas para crear un hábitat para el salmón coho juvenil (y otros peces). Se excavaron estanques y canales, se crearon mogotes y las plantas autóctonas sustituyeron a las invasoras. Estos humedales son un lugar seguro para que el salmón madure y sobreviva antes de aventurarse al Océano para su vida adulta.

SALMON

Salmon have long been an important food source, spiritual totem, and key to a healthy aquatic ecosystem on the North Coast. But, California Coho populations today are probably less than 6% of what they were in the 1940s, and there has been at least a 70% decline since the 1960s. The reasons for this decline include logging and mining practices, overfishing, climate change, and dams. For these reasons, efforts like the Wood Creek restoration are important

El salmón ha sido durante mucho tiempo una importante fuente de alimento, un tótem espiritual y la clave de un ecosistema acuático sano en la costa norte. Sin embargo, las poblaciones actuales de salmón coho de California son probablemente menos del 6% de lo que eran en la década de 1940, y se ha producido un descenso de al menos el 70% desde la década de 1960. Las razones de este decline incluyen las prácticas de tala y minería, la sobrepesca, el cambio climático y las presas. Por estos motivos, son importantes iniciativas como la restauración de Wood Creek.

FRESHWATER SLOUGH

For much of this walk you follow Freshwater Slough. A slough is a channel that carries salt water from the ocean and freshwater from a creek or river like Wood or Freshwater Creeks. The water in sloughs is 'brackish' which means they are not as salty as the ocean or as fresh as the creek. When the tides are high Freshwater Slough brings salt water into the restored areas that you see from the boardwalk. The brackish water it creates when mixed with Wood Creek water helps prepare young salmon for their transition to the ocean.

Durante gran parte de este paseo se sigue Freshwater Slough. Se trata de un canal que transporta agua salada del océano y agua dulce de un arroyo o río, como los arroyos Wood o Freshwater. El agua de estos canales es "salobre", lo que significa que no es tan salada como la del océano ni tan dulce como la del arroyo. Cuando sube la marea, Freshwater Slough lleva agua salada a las zonas restauradas que se ven desde el paseo marítimo. El agua salobre que crea al mezclarse con el agua de Wood Creek ayuda a preparar a los salmones jóvenes para su transición al océano.

PACIFIC TREE FROG

This small frog comes in shades of green and brown and has a distinctive black or brown eye stripe. They are common here and throughout much of the Pacific Northwest. Many have the ability to change their color between green and brown. Also known as the Pacific chorus frog, their call is the classic frog sound almost always heard in movies. You are likely to hear them at Freshwater Farms as they spend a lot of time hiding under rotten logs, leaves, rocks, or on long grasses.

Esta pequeña rana se presenta en tonos verdes y marrones y tiene una distintiva raya negra o marrón en el ojo. Son comunes aquí y en gran parte del noroeste del Pacífico. Muchas tienen la capacidad de cambiar su color entre verde y marrón. También conocida como rana coro del Pacífico, su llamada es el clásico sonido de rana que casi siempre se oye en las películas. Es probable que las oiga en las granjas de agua dulce, ya que pasan mucho tiempo escondidas bajo troncos podridos, hojas, rocas o sobre largas hierbas.

9

BUILD A CASTLE IN THE SAND

CONSTRUYE UN CASTILLO EN LA ARENA

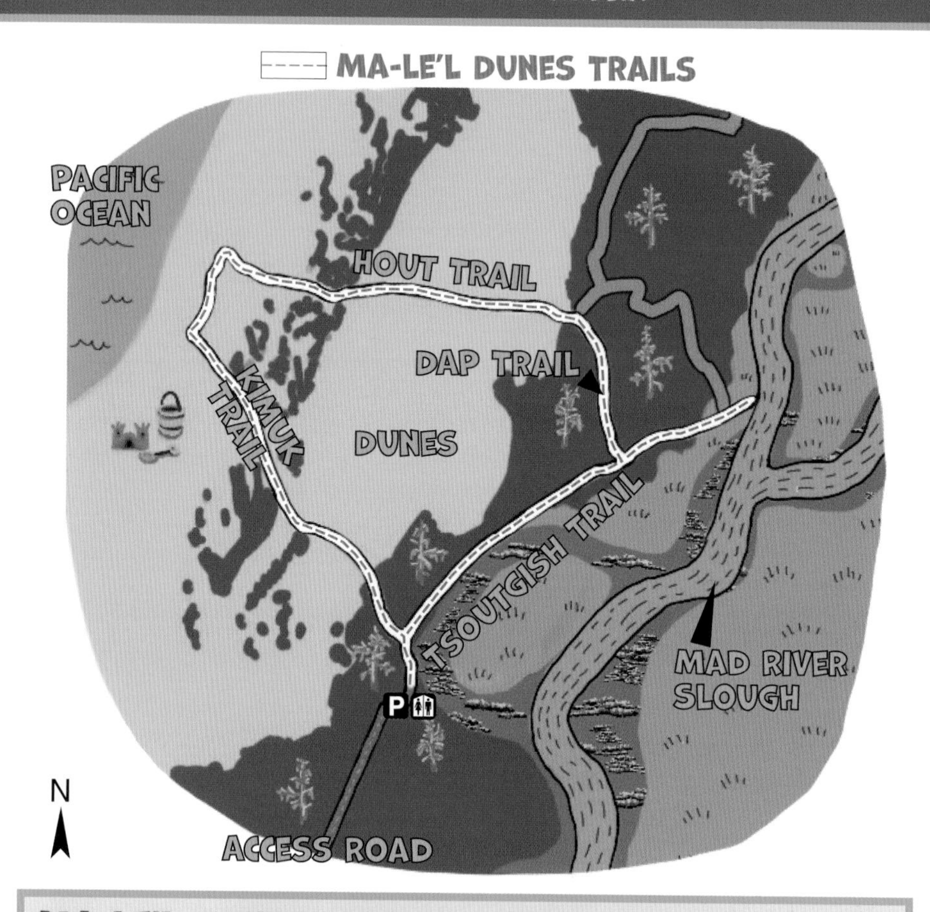

MA-LE'L DUNES NORTH

Length (Longitud): 2.1 miles

Difficulty (Dificultad): Moderate

Land management (Gestion de tierras): Humboldt Bay National Wildlife Refuge (707) 733-5406

Access constraints (Restricciones de acceso): Open from sunrise to one hour after sunset; the access road to the Ma-le'l North trailhead and parking area is open Friday through Monday. High tide or surf may complicate the beach walk.

Dogs (Perros): No

Bicycles (Bicicletas): No

Strollers (Cochecitos): No

Bathroom (Baño): At parking lot

Public Transport (Transporte público): HTA stops at the Manila Commuity Center, far from trailhead though.

YOUR ADVENTURE: The landscape and the trails of Ma-le'l North are among my favorites with its unique combination of slough, high dunes, forest, and beach. There is a surreal quality to being surrounded by massive 80-foot dunes here in Humboldt County or walking along the prism of the old Hammond railroad through garlands of lichens draped from arching Sitka spruce. Both of our daughters and friends loved rolling, jumping, and sliding in the high dunes. Prepare to get sandy!

GETTING THERE: Take US 101 North for 0.5 mile to the intersection with CA 255. Turn left on CA 255 North over the bridges to the Samoa Peninsula. Continue north (right turn) 4.7 miles to Young Lane where you will turn left. At the T-junction, turn right for 0.7 mile to the Ma-le'l North parking lot (only open Friday through Monday). Approximate driving time, 13 minutes.

TU AVENTURA: El paisaje y los senderos de Ma-le'l North se encuentran entre mis favoritos con su combinación única de ciénagas, dunas altas, bosque y playa. Hay una calidad surrealista en estar rodeado de enormes dunas de 80 pies aquí en el condado de Humboldt o caminar a lo largo del prisma del antiguo ferrocarril de Hammond a través de guirnaldas de líquenes cubiertas de píceas de Sitka arqueadas. A nuestros hijos y amigos les encantaba rodar, saltar y deslizarse en las altas dunas. ¡Prepárate para ponerte arenoso!

CÓMO LLEGAR: Tome la US 101 North durante 0,5 millas hasta la intersección con CA 255. Gire a la izquierda en CA 255 North sobre los puentes hacia la península de Samoa. Continúe hacia el norte (gire a la derecha) 4.7 millas hasta Young Lane, donde girará a la izquierda. En el cruce en T, gire a la derecha 0.7 millas hasta el estacionamiento de Ma-le'l North (solo abre de viernes a lunes). Tiempo aproximado de conducción, 13 minutos.

THE ROUTE: Head north from the parking lot on the Tsoutsgish Trail as it parallels the Mad River Slough. This, like the access road, utilizes the bed of the old Hammond Railroad (see Hike #5). Enjoy the curtains of lace lichen that create an amazing atmosphere for your walk. Pass the Dap Loop intersection (0.3) and continue to dead end where the supports for the old railroad bridge continue across the slough (0.5). There are some patches of poison oak along this northern end of the trail. Once you have absorbed the view across the Arcata Bottoms, about face and return to the second intersection with the Dap Loop Trail (the first you will encounter is longer and more difficult... ...save your energy for the dunes). Turn right and follow the Dap Loop Trail passing reindeer lichen, huckleberry bushes, salal, and the distinctive red bearberries. From the base of the high dunes above you (0.9) use the rope to assist your climb to the top of the high dunes and enter a world more reminiscent of the Sahara Desert. The route heads up and over the dunes descending toward the ocean on the poorly marked Hout Trail. This trail, and the equally poorly signed, Kimuk Trail, both have strategically placed wooden walkways that cross areas of standing water that sometimes accumulate during the wet season. These trails can easily be missed as they tend to be marked with solitary wood poles with faded dots. The suggested route involves reaching the beach on the Hout Trail (1.3), turn left at the beach and begin your return a short distance south on the Kimuk Trail (1.5). While your best clues are poles and footprints, be prepared to do some route finding. It is worth the trouble! The Kimuk Trail, which passes through a small notch in the high dunes not far south of the Hout Trail, has a delightful

LA RUTA: Diríjase hacia el norte desde el estacionamiento en Tsoutsgish Trail, ya que es paralelo a Mad River Slough. Esto, al igual que el camino de acceso, utiliza el lecho del antiguo Ferrocarril Hammond (ver Caminata #5). Disfruta de las cortinas de lace lichen que crean un ambiente increíble para tu paseo. Pase la intersección de Dap Loop (0.3) y continúe hasta el callejón sin salida donde los soportes del antiguo puente ferroviario continúan cruzando el lodazal (0.5). Hay algunos parches de roble venenoso a lo largo de este extremo norte del sendero. Una vez que haya absorbido la vista a través de Arcata Bottoms, dé la vuelta y regrese a la segunda intersección con Dap Loop Trail (la primera que encontrará es más larga y más difícil...ahorre energía para las dunas). Gire a la derecha y siga el Dap Loop Trail pasando líquenes de renos, arbustos de arándanos, salal y las distintivas gayubas rojas. Desde la base de las altas dunas sobre ti (0.9), usa la cuerda para ayudarte a subir a la cima de las altas dunas y entrar en un mundo que recuerda más al desierto del Sahara. La ruta se dirige hacia arriba y sobre las dunas que descienden hacia el océano en el Hout Trail mal señalizado. Este sendero, y el Sendero Kimuk igualmente mal señalizado, tienen pasarelas de madera ubicadas estratégicamente que cruzan áreas de agua estancada que a veces se acumula durante la temporada de lluvias. Es fácil pasar por alto estos senderos, ya que tienden a estar marcados con postes de madera solitarios con puntos descoloridos. La ruta sugerida consiste en llegar a la playa por el sendero Hout (1,3), girar a la izquierda en la playa y comenzar el regreso un poco al sur por el sendero Kimuk (1,5). Si bien sus mejores pistas son los postes y las huellas, prepárese para encontrar rutas. ¡Vale la pena! El sendero Kimuk, que

view over the slough and the Arcata Bottoms just before it descends (2.0) and emerges a short distance north of the parking lot (2.1).

pasa a través de una pequeña muesca en las altas dunas al sur del sendero Hout, tiene una vista encantadora sobre el lodazal y Arcata Bottoms justo antes de que descienda (2.0) y emerja una corta distancia al norte del estacionamiento (2.1).

OYSTER BEDS

Humboldt Bay is the largest producer of oysters in California. As you begin your walk from the trailhead, look east to the main channel of the Mad River Slough. Notice the flat tops of floating pens where oysters grow. Because oysters feed on microscopic organisms that they filter from ocean water, water in Humboldt Bay must remain clean.

Humboldt Bay es el mayor productor de ostras de California. Al comenzar su caminata desde el comienzo del sendero, mire hacia el Este hacia el canal principal de Mad River Slough. Observe las partes superiores planas de los corrales flotantes donde crecen las ostras. Debido a que las ostras se alimentan de organismos microscópicos que filtran del agua del océano, ayudan a mantener limpia el agua de la Bahía de Humboldt.

HUCKLEBERRY

The evergreen huckleberry grows up to 8-feet in height and is a common native shrub in the dune forest. It produces edible small black berries in the autumn which are popular in jams and—for highly successful harvesters—pies. It is related to the cranberry and the blueberry.

El arándano siempre verde (crece hasta 8 pies de altura y es un arbusto nativo común en el bosque de dunas. Produce pequeñas bayas negras comestibles en el otoño que son populares en mermeladas y, para los cosechadores de gran éxito, pasteles. Está relacionado con el arándano rojo y el arándano.

LACE LICHEN

This is the state lichen of California! It is also an important food source for deer and a source of nesting material for birds. While it may look dead, it is not. And it is not one organism but two species (fungi and bacteria) that live together in harmony.

¡Este es el liquen del estado de California! También es una importante fuente de alimento para los ciervos y una fuente de material para que las aves hagan nidos. Si bien puede parecer muerto, no lo es. Y no es un organismo sino dos especies que viven juntas en armonía.

MOVING DUNES

Over many years, the prevailing northwest winds have slowly blown sand, particle by particle, from the beach to create these immense piles of sand. On a windy day, look at your feet and you can see the sand traveling airborne just above the dune surface. Look at the dead trunks of trees, once part of the coastal forest and now swallowed by sand, as evidence of this movement.

Durante muchos años, los vientos predominantes del noroeste han arrastrado lentamente la arena, partícula por partícula, desde la playa para crear estas inmensas pilas de arena. En un día ventoso, mire sus pies y podrá ver la arena que viaja en el aire justo por encima de la superficie de la duna. Mire los troncos muertos de los árboles, una vez parte del bosque costero y ahora tragado por la arena, como evidencia de este movimiento.

10

I LIKE EUREKA

ME GUSTA EUREKA

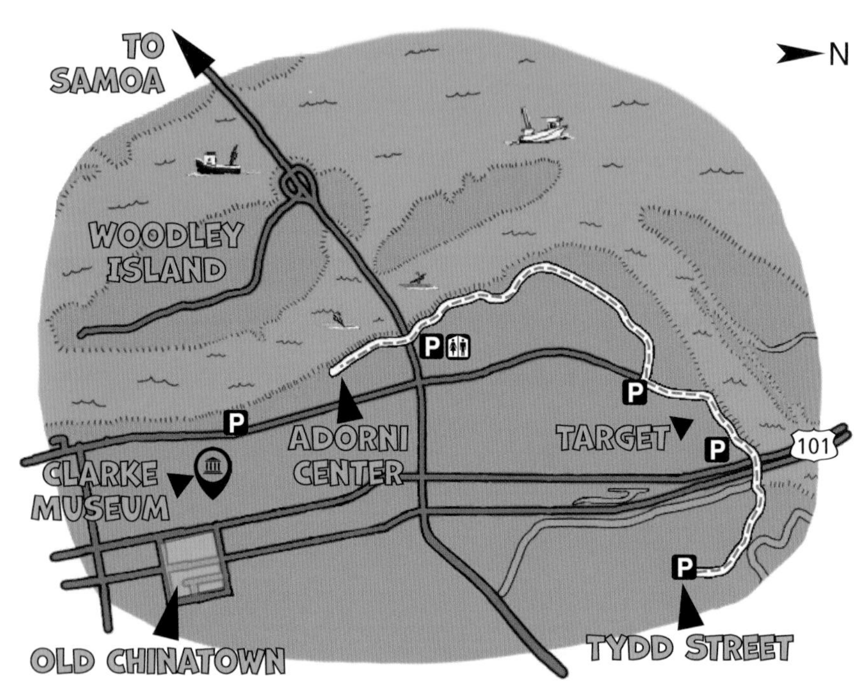

EUREKA WATERFRONT TRAIL

WATERFRONT TRAIL NORTH

Length (Longitud): 2.4 miles round trip

Difficulty (Dificultad): Easy

Land management (Gestion de tierras): City of Eureka

Access constraints (Restricciones de acceso): None. Strongly advise daylight hours only.

Dogs (Perros): Leashed

Bicycles (Bicicletas): Yes

Strollers (Cochecitos): Yes

Bathroom (Baño): Boat ramp

Public Transport (Transporte público): Redwood Transit Authority stops at 4th and 'X' Street in Eureka; the Eureka Transit Service only gets as close as 3rd and 'H' Street in Old Town. Both will involve walking to the trail.

YOUR ADVENTURE: This walk offers wonderful views of Wigi (Wiyot name for Humboldt Bay and its people) to the north and east and passes the location of a Wigi village near the Eureka Slough east of Target. Archeological evidence places most villages in this area on the southside of the slough farther east near the end of Bay Street and Vernon Street. For the Wigi, transportation was primarily by dugout redwood canoe.

With the arrival of white settlers in the 1850s, Eureka's waterfront soon became a bustling combination of lumber mills, a robust fishing fleet and associated processing plants, and the vibrant but, at times, seedy, commercial district of a port town. Things are much quieter these days and many of the old warehouses and the Carson & Dolbeer Lumber Mill have been razed. These days you are most likely to see a curious harbor seal or rowers sculling down the channel, marvel at the expansive views across the bay toward Arcata, Fickle Hill, and beyond, and appreciate the 400-foot elevated walkway through the salt marsh near the Blue Ox Millworks.

TU AVENTURA: Este paseo ofrece maravillosas vistas de Wigi (nombre Wiyot para la bahía de Humboldt y su gente) hacia el norte y el este y pasa por la ubicación de un pueblo de Wigi cerca de Eureka Slough al este de Target. La evidencia arqueológica ubica a la mayoría de las aldeas en esta área en el lado sur del pantano, más al este, cerca del final de la calle Bay y la calle Vernon. Para Wigi, el transporte se realizaba principalmente en canoas de secoya.

Con la llegada de los colonos blancos en la década de 1850, la costa de Eureka pronto se convirtió en una bulliciosa combinación de aserraderos, una sólida flota pesquera y plantas de procesamiento asociadas, y el distrito comercial vibrante pero, a veces, sórdido de una ciudad portuaria. Las cosas están mucho más tranquilas en estos días y muchos de los antiguos almacenes y Carson & Dolbeer Lumber Mill han sido demolidos. En estos días, es más probable que vea una curiosa foca de puerto o remeros remando por el canal, maravíllese con las amplias vistas de la bahía hacia Arcata, Fickle Hill y más allá, y aprecie la pasarela elevada de 400 pies a través del pantano salado cerca de Blue Ox Millworks

GETTING THERE: The safest and most convenient parking options are at Target (enter at 3rd and Y Street, Eureka, or from southbound US 101), in the main parking lot (there are two small parking spaces on the north side of the store near the Eureka Slough), and at the Adorni Recreation Center (1011 Waterfront Drive). There are other possibilities in the nearby neighborhoods but caution is warranted because of reports of smash and grab incidents. Do not leave valuables in your vehicle.

THE ROUTE: From the Adorni Recreation Center parking lot, the trail exits from the north side of the parking lot passing the concrete bandstand and paralleling the bay side of the open field of Halvorsen Park. The route quickly passes the Cal Poly Humboldt Boat House and dock before reaching the public boat ramp and restrooms underneath the Hwy 255 bridge (0.3). The trail crosses the first of several metal bridges (0.4) remaining close to the bay. During low tides, small numbers of harbor seals often congregate on the opposite side of the channel. At 0.6 mile cross the 400' elevated metal walkway

CÓMO LLEGAR: Las opciones de estacionamiento más seguras y convenientes están en Target (ingresar en la calle 3rd y la calle Y, Eureka, o desde la US 101 en dirección sur), en el estacionamiento principal (hay dos espacios de estacionamiento pequeños en el lado norte de la tienda cerca de Eureka Slough), y en el Centro Recreativo Adorni (1011 Waterfront Drive). Hay otras posibili-dades en los vecindarios cercanos, pero se justifica la precaución debido a los in-formes de incidentes de lincuenciales y agarre. No deje objetos de valor en su vehículo.

LA RUTA: Desde el estacionamiento del Centro Recreativo Adorni, el sendero sale del lado norte del estacionamiento pasando el quiosco de música de concreto y paralelo al lado de la bahía del campo abierto del Parque Halvorsen. La ruta pasa rápidamente por CPH Boat House y el muelle antes de llegar a la rampa pública para botes y los baños debajo del puente Hwy 255 (0.3). El sendero cruza el primero de varios puentes metálicos (0,4) que quedan cerca de la bahía. Durante las mareas bajas, un pequeño número de focas de puerto a menudo se congregan

as it spans a section of salt marsh just beyond a deteriorating portion of the Blue Ox Millworks. Shortly after crossing the walkway, turn left. If you were to continue straight ('Y' Street) just one block from this turn, you would reach the corner of the Target parking lot. If you turn right, in 250 feet you will reach the entrance to the Blue Ox Millworks at the end of 'X' Street.

The trail stays closer to the water, now the Eureka Slough, crossing another short metal bridge (0.8) and the backside of Target on the right. The trail passes under US 101 and the private Shoreline RV Park before turning away from the slough and gradually climbing past the Open Door Clinic and its end at Tydd Street (1.2). There is very limited public parking on this end.

A nice option is to park at Target and join the trail on the north side of the store and turn left following the trail from there.

en el lado opuesto del canal. A 0.6 millas, cruce la pasarela de metal elevada de 400 pies que se extiende por una sección de marismas justo más allá de una parte deteriorada de Blue Ox Millworks. Poco después de cruzar la pasarela, gire a la izquierda. Si continuara recto (Calle 'Y') a solo una cuadra de este giro, llegaría a la esquina del estacionamiento de Target. Si gira a la derecha, en 250 pies llegará a la entrada de Blue Ox Millworks al final de la calle 'X'.

El sendero permanece más cerca del agua, ahora Eureka Slough, cruzando otro puente de metal corto (0.8) y la parte trasera de Target a la derecha. El sendero pasa por debajo de la US 101 y el Shoreline RV Park privado antes de alejarse del lodazal y subir gradualmente más allá de Open Door Clinic y su final en la calle Tydd (1.2). Hay estacionamiento público muy limitado en este extremo.

Una buena opción es estacionar en Target y unirse al sendero en el lado norte de la tienda y girar a la izquierda siguiendo el sendero desde allí.

WOODLEY ISLAND

BLUE OX MILLWORKS

For nearly half of a century, the Blue Ox has occupied the old North Mountain Power Company building (1904), one of the first power plants in Humboldt County. The Blue Ox produces custom millwork. There is even a fully functioning blacksmith shop. Tours are available.

Durante casi medio siglo, el Blue Ox ha ocupado el antiguo edificio de North Mountain Power Company (1904), una de las primeras centrales eléctricas del condado de Humboldt. El Blue Ox produce carpintería personalizada. Incluso hay una herrería en pleno funcionamiento. Los recorridos están disponibles.

TRADITIONAL TRANSPORTATION

The many sloughs and wetlands around Wigi made walking from place to place a very lengthy and often impossible exercise. The Wigi people created dugout redwood canoes—a very laborious process—and used them on the water to move around the bay.

Los numerosos cenagales y humedales alrededor de Wigi hicieron que caminar de un lugar a otro fuera un ejercicio muy largo y, a menudo, imposible. La gente de Wigi creó canoas de madera roja, un proceso muy laborioso, y las usó en el agua para moverse por la bahía.

SEA LEVEL RISE

Because of global warming, ice sheets and glaciers are melting. That, combined with the thermal expansion of warming oceans, is causing sea levels to rise. Local expert, Aldaron Laird, suggests that we should prepare for sea level rise of .9 feet by 2030, 1.9 feet by 2050 and 3.2 feet by 2070 around Humboldt Bay. With three feet of sea level rise, it is estimated that 33 miles of dikes, railroad and road grades could be breached or be overtopped. This would inundate approximately 10,000 acres of agricultural land, Highways 101 and 255 and much of this walk.

Debido al calentamiento global, las capas de hielo y los glaciares se están derritiendo. Eso, combinado con la expansión térmica del calentamiento de los océanos, está provocando un aumento del nivel del mar. El experto local, Aldaron Laird, sugiere que debemos prepararnos para un aumento del nivel del mar de 0,9 pies para 2030, 1,9 pies para 2050 y 3,2 pies para 2070 alrededor de la Bahía de Humboldt. Con tres pies de aumento del nivel del mar, se estima que 33 millas de diques, vías férreas y caminos podrían romperse o rebasarse. Esto inundaría aproximadamente 10,000 acres de tierra agrícola, las autopistas 101 y 255 y gran parte de este paseo.

CARSON & DOLBEER LUMBER MILL

From the 1850s through the 1970s there was a lumber mill on the site of what is now Halvorsen Park. Fires destroyed several of the early structures and over time the mill changed ownership (although John Dolbeer and William Carson and their descendents were involved for over 70 years). William Carson built his classic Victorian home in 1885-86 to look over his operation that exists as the Ingomar Club today.

Desde la década de 1850 hasta la década de 1970 hubo un aserradero en el sitio de lo que ahora es Halvorsen Park. Los incendios destruyeron varias de las primeras estructuras y, con el tiempo, la fábrica cambió de propietario (aunque John Dolbeer y William Carson y sus descendientes estuvieron involucrados durante más de 70 años). William Carson construyó su clásica casa victoriana en 1885-1886 para supervisar su operación que existe hoy como Ingomar Club.

MORE TO EXPLORE: CHINATOWN WALK

Organized by the Clarke Historical Museum (240 E Street) and the Eureka Chinatown Project, there are guided (or self-guided) walks of the small downtown area once occupied by a small Chinatown (a three-block area located near 4th and F, currently the site of Coast Central Credit Union). Over the course of several decades, the Chinese population in Humboldt County had grown to some 247 but in February, 1885, after the inadvertent shooting of a white City Council member in a Chinatown scuffle, virtually all local Chinese were rounded up and shipped to San Francisco. While this removal may have been an especially egregious act, the prejudice and discrimination continued both before and after the Chinese expulsion. The project aspires to educate the public about this dark chapter in local history with the hope that it would never be repeated. The short route includes the new Chinatown mural, Charlie Moon Way, and city streets leading to the waterfront. Be very careful as this walk is through the busy core of Old Town with a number of street crossings.

MÁS PARA EXPLORAR: PASEO POR CHINATOWN

Esta caminata, organizada por el Museo Histórico de Clarke (calle 240 E) y el Proyecto Eureka Chinatown, son caminatas guiadas (o autoguiadas) del pequeño centro de la ciudad que una vez estuvo ocupado por un pequeño barrio chino (un área de tres cuadras ubicada cerca de la calle 4 y F, actualmente el sitio de Coast Central Credit Union). En el transcurso de varias décadas, la población china en el condado de Humboldt había crecido a unos 247, pero en febrero de 1885, después de que un miembro blanco del Concejo Municipal fue disparado inaduertidamente en Chinatown, prácticamente todos los chinos locales fueron detenidos y enviados a San Francisco. Si bien esta expulsión puede haber sido un acto especialmente atroz, el prejuicio y la discriminación continuaron antes y después de la expulsión de los chinos. El proyecto aspira a educar al público sobre este oscuro capítulo de la historia local con la esperanza de que nunca se repita. La ruta corta incluye el nuevo mural de Chinatown, Charlie Moon Way y las calles de la ciudad que con-ducen al paseo marítimo. Tenga mucho cuidado, ya que este paseo atraviesa el concurrido núcleo del casco antiguo con varios cruces de calles.

11

CLIMB INTO A REDWOOD CANOPY

SEQUOIA PARK Y EL SKYWALK

SEQUOIA PARK AND THE SKYWALK

Length (Longitud): 1 mile

Difficulty (Dificultad): Moderate

Land management (Gestion de tierras): City of Eureka; Sequoia Park Zoo – (707) 441-4263

Fee (Tarifa): Sequoia Park is free, the Zoo costs $10.95–14.95 for Humboldt County residents. EBT/BIC $4. Children 0-2 are free.

Access constraints (Restricciones de acceso): Sequoia Park is open dawn to dusk; Sequoia Park Zoo is open Tuesday–Sunday 10 am–5 pm

Dogs (Perros): Not in the zoo, leashed in Sequoia Park,

Bicycles (Bicicletas): Yes

Strollers (Cochecitos): Yes

Bathroom (Baño): Yes

Public Transport (Transporte público): ETS Gold Route stops at Harris and F, 0.6 miles from the Park.

YOUR ADVENTURE: The Sky Walk at the Zoo is an expensive but worthy splurge. With the price of entrance comes the delightful otter exhibit, the eagle and salmon, the new bear exhibit, along with the high touch barnyard. The Sky Walk is just a quarter mile round trip and includes educational signage as it extends from tree-to-tree up to 100 feet above the forest floor. The adjacent 67-acre Sequoia Park has benefitted from recent upgrades with more planned. The playground area is very nice and check out the often-showy Sequoia Park Garden on the north side of the Zoo.

GETTING THERE: Proceed north on US 101 for 0.5 mile before turning right onto Myrtle Avenue. Turn right on West Avenue in 0.4 mile. Head south on West Avenue for 0.6 mile continuing on 'S' Street for an additional 0.7 mile. Turn left on Harris Street and right on 'W' Street (0.2 mile). Street parking is available on 'W' Street and along Madrone Avenue on the south side of Sequoia Park. Approximate driving time, 8 minutes.

TU AVENTURA: El Sky Walk en el zoológico es un derroche costoso pero digno. Con el precio de la entrada viene la encantadora exhibición de nutrias, el águila y el salmón y la exhibición del oso nuevo junto con el corral de alto nivel. El Sky Walk es solo un viaje de ida y vuelta de un cuarto de milla e incluye señalización educativa a medida que se extiende de árbol en árbol hasta 100 pies sobre el suelo del bosque. El Sequoia Park adyacente de 67 acres se ha beneficiado de las actualizaciones recientes y se planean más. El área de juegos es muy agradable y visita el Sequoia Park Garden, a menudo llamativo, en el lado norte del zoológico.

CÓMO LLEGAR: Continúe hacia el norte por la US 101 durante 0,5 millas antes de girar a la derecha en Myrtle Avenue. Gire a la derecha en West Avenue en 0.4 millas. Diríjase hacia el sur por West Avenue durante 0,6 millas y continúe por la calle S durante 0,7 millas adicionales. Gire a la izquierda en la calle Harris y a la derecha en la calle W (0.2 millas). El estacionamiento en la

THE ROUTE: The Park is criss-crossed by a poorly signed network of formal trails confused by a proliferation of social trails. The clearest and easiest walking route is to follow the paved road that begins and ends at the upper playground near a more formal gate. Proceed clockwise to enjoy the prettiest portion of the walk first. The road soon switchbacks down to the duck pond before climbing up toward the gated 'T' Street entrance and water feature. Continue right on the park service road that will take you behind the zoo and under the Sky Walk back to the playground (0.9). There are five trails with rocked surfaces that make their way between the eastern or northern side of the park road and the duck pond and Rhododendron Glen area. Two of the routes include a number of steps while the other three have been graded, sometimes steeply. Unfortunately, all are poorly signed and none are even half mile in length. West of the duck pond is the Sequoia Creek Trail that offers a short loop through the meadow and the option of exiting to 'O' Street.

calle está disponible en la calle 'W' y a lo largo de Madrone Avenue en el lado sur de Sequoia Park. Tiempo aproximado de conducción, 8 minutos.

LA RUTA: El Parque está atravesado por una red de senderos formales mal señalizados confundidos por una proliferación de senderos sociales. La ruta para caminar más clara y fácil es seguir el camino pavimentado que comienza y termina en el área de juegos superior cerca de una puerta más formal. Proceda en el sentido de las agujas del reloj para disfrutar primero de la parte más bonita de la caminata. El camino pronto regresa al estanque de patos antes de subir hacia la entrada de la calle 'T' cerrada y la fuente de agua. Continúe a la derecha en la vía de servicio del parque que lo llevará detrás del zoológico y debajo del Sky Walk de regreso al área de juegos (0.9). Hay cinco senderos con superficies rocosas que se abren camino entre el lado este o norte de la carretera del parque y el estanque de patos y el área de Rhododendron Glen. Dos de las rutas incluyen una serie de gradas, mientras que las otras tres se han nivelado, a veces con mucha pendiente. Desafortunadamente, todos están mal señalizados y ninguno tiene ni media milla de largo. Al oeste del estanque de patos se encuentra el sendero Sequoia Creek, que ofrece un circuito corto a través del prado y la opción de salir a la calle 'O'.

ZOOM IN - ZOOM OUT

Zoom in, zoom out is meant to help kids observe and take different perspectives when making observations. When sketching, some children take a wide perspective that includes habitat, while others notice details. Kids will practice going between perspectives in order to make deep observations about an object.

Questioning

- What observations can you make about this____ (plant, squirrel, etc.)? Have kids walk up closer...
- What observations can you offer close up? Point out how the observations differed from different distances.
- What observations can you offer at a distance? How does your object fit with the environment....

ZOOM IN - ZOOM OUT

"Zoom in, zoom out" sirve para que los niños observen y adopten diferentes perspectivas a la hora de hacer observaciones. Al dibujar, algunos niños adoptan una perspectiva amplia que incluye el hábitat, mientras que otros se fijan en los detalles. Los niños practicarán el cambio de perspectiva para realizar observaciones más profundas sobre un objeto.

Preguntas

- ¿Qué observaciones puedes hacer sobre esta____ (planta, ardilla, etc.)? Haz que los niños se acerquen...
- ¿Qué observaciones puedes hacer de cerca? Señala en qué se diferencian las observaciones a distintas distancias.
- ¿Qué observaciones puedes hacer a distancia? ¿Cómo encaja tu objeto en el entorno?

IN YOUR NATURE JOURNAL...

Object Drawn Full Size

ZOOM IN

ZOOM OUT: In the Environment

INTERVIEW AT THE ZOO

Kids say the darnedest things!

Conducting "interviews" with young children is both amusing and insightful. Their inquisitive and unfiltered minds offer a unique perspective of the world around them. Try asking open-ended questions for an undoubtedly more entertaining response. These types of questions cannot be answered by a simple yes or no. They require a longer response which encourages a deeper level of thinking for children—giving them an opportunity to use more language. You'll notice children of different ages will respond in a variety of ways to the same question. You can ask questions while taking a break to enjoy a snack or make a more formal experience and pretend to hold a microphone.

Enjoy this short interview with 4-year-old Merrick and 6-year-old Marina on a visit to the Sequoia Park Zoo.

Mom "Where do you think the spider monkeys were today?"

Merrick "At dinner."

Marina "I think, well, the same thing. The people were feeding the monkeys and they were having dinner and then I think they sleep in there."

Mom "Tell me something about the otters."

Merrick "They sleep at night. They dance a lot every time they see people and they love people."

Marina "They love to dance in the water. One time they sat on top of us in the tunnel. One of them did. They're really cool."

Mom "Are there other things you'd like to say about the zoo?"

Marina "The bald eagles are really cool, and the owl, I just wish the porcupine was out."

ENTREVISTA EN EL ZOOLÓGICO

¡Los niños dicen las cosas más lindas!

Realizar "entrevistas" con niños pequeños es a la vez divertido y revelador. Sus mentes inquisitivas y sin filtrar ofrecen una perspectiva única del mundo que les rodea. Intente hacer preguntas abiertas para obtener una respuesta, sin duda, más entretenida. Este tipo de preguntas no se pueden responder con un simple sí o no. Requieren una respuesta más larga que fomente un nivel más profundo de pensamiento para los niños, dándoles la oportunidad de usar más lenguaje. Notará que los niños de diferentes edades responderán de diversas maneras a la misma pregunta. Puede hacer preguntas mientras toma un descanso para disfrutar de un refrigerio o hacer una experiencia más formal y fingir que sostiene un micrófono.

Disfrute de esta breve entrevista con Merrick, de 4 años, y Marina, de 6, durante una visita al zoológico de Sequoia Park.

Mamá "¿Dónde crees que estuvieron los monos araña hoy?"

Merrick "En la cena".

Marina "Yo pienso, bueno, lo mismo. La gente estaba alimentando a los monos y estaban cenando y luego creo que duermen allí".

Mamá "Cuénteme algo sobre las nutrias".

Merrick "Duermen por la noche. Bailan mucho cada vez que ven gente y aman a la gente".

Marina "Les encanta bailar en el agua. Una vez se sentaron encima de nosotros en el túnel. Uno de ellos lo hizo. Son realmente geniales".

Merrick "Yes, the spider monkeys are not here today."

Mom "Where do you think the porcupine was?"

Marina "Um, the porcupine is sick, mom."

Mom "Oh, the porcupine is sick. Was there a sign? Or, how to you know the porcupine was sick?"

Marina "There was a sign put up a while ago."

Mom "Do you think other kids would like to come to the zoo?"

Merrick "Yes."

Marina "Yes."

Mom "What do you think kids should do first when they get to the zoo?"

Marina "Watch the otters and play in the water."

Merrick "Slide down the slides (at Sequoia Park, next to the Zoo)."

Marina "There's no slides here, Merrick."

Mom "Can you tell me about the Skywalk?"

Marina "I like running across the bridges that move. It's fun!"

Merrick "It's like Star Wars!"

Mamá "¿Hay otras cosas que le gustaría decir sobre el zoológico?"

Marina "Las águilas calvas son realmente geniales, y el búho, sólo desearía que el puercoespín estuviera fuera".

Merrick "Sí, los monos araña no están aquí hoy".

Mamá "¿Dónde crees que estaba el puercoespín?"

Marina "Um, el puercoespín está enfermo, mamá".

Mamá "Oh, el puercoespín está enfermo. ¿Había una señal? O, ¿cómo sabes que el puercoespín estaba enfermo?

Marina "Había un cartel puesto hace un rato."

Mamá "¿Crees que a otros niños les gustaría venir al zoológico?"

Merrick "Sí".

Marina "Sí".

Mamá "¿Qué crees que los niños deben hacer primero cuando llegan al zoológico?"

Marina "Observa las nutrias y juega en el agua."

Merrick "Deslízate por los toboganes (en Sequoia Park, al lado del zoológico)".

Marina "Aquí no hay toboganes, Merrick".

12

EXPLORE HIDDEN EUREKA

EXPLORA EUREKA OCULTO

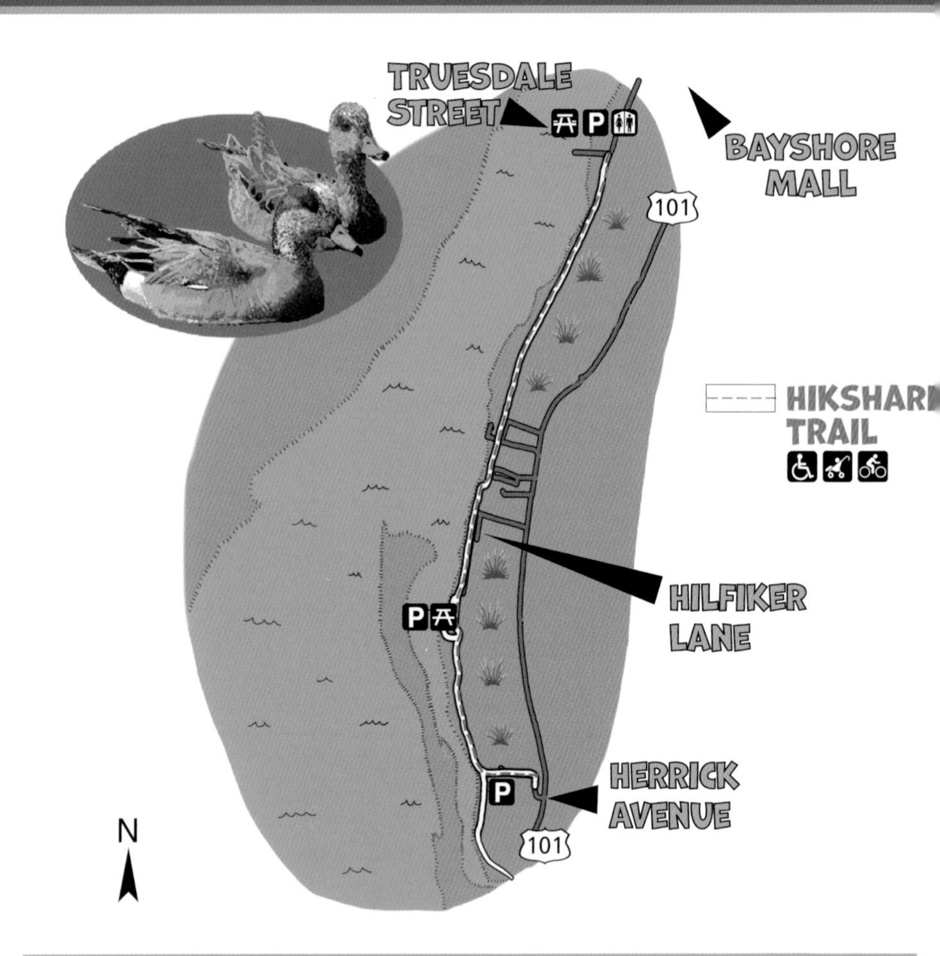

HIKSHARI' TRAIL

Length (Longitud): 3 miles

Difficulty (Dificultad): Easy

Land management (Gestion de tierras): City of Eureka

Access constraints (Restricciones de acceso): Daylight hours

Dogs (Perros): Leashed

Bicycles (Bicicletas): Yes

Strollers (Cochecitos): Yes

Bathroom (Baño): At the Truesdale Street trailhead.

Public Transport (Transporte público): RTS and ETS Gold Route stop at the Bayshore Mall. 0.2 miles from the trail.

YOUR ADVENTURE: This beautiful, multi-modal paved trail follows the edge of Humboldt Bay south before turning southeast along the Elk River (Hikshari' is the Wiyot name for Elk River). With three trailheads and tables along the way, this is a very pleasant walk along tidal mud flats, salt marsh, and coastal prairie.

GETTING THERE: There are three access points and parking areas for the Hikshari'. Take US 101 south 2.6 miles turning right on Truesdale Street (just past the Bayshore Mall) for 0.2 mile. Alternatively, go 2.9 miles south on US 101, turn right on Hilfiker Lane and proceed 0.5 mile to a paved parking area. The third option, the Pound Road Park and Ride, is 3.8 miles south on US 101 to the Herrick Avenue exit. Turn right into the signed Park and Ride. The trail begins after a short walk north on the frontage road.

TU AVENTURA: Este hermoso sendero pavimentado multimodal sigue el borde de la bahía de Humboldt hacia el sur antes de girar hacia el sureste a lo largo del río Elk (Hikshari' es el nombre Wiyot para el río Elk). Con tres senderos y mesas a lo largo del camino, este es un paseo muy agradable a lo largo de marismas, praderas costeras y matorrales.

CÓMO LLEGAR: Hay tres puntos de acceso y áreas de estacionamiento para Hikshari'. Tome la US 101 sur durante 2,6 millas y gire a la derecha en la calle Truesdale (justo después de pasar Bayshore Mall) durante 0,2 millas. Alternativamente, vaya 2.9 millas al sur por la US 101, gire a la derecha en Hilfiker Lane y continúe 0.5 millas hasta un área de estacionamiento pavimentada. La tercera opción, Pound Road Park and Ride, está 3.8 millas al sur en la US 101 hasta la salida de Herrick Avenue. Gire a la derecha en Park and Ride señalizado. El sendero comienza después de un corto paseo hacia el norte por el camino lateral.

THE ROUTE: The Hikshari' Trail has excellent directional and natural history signage. From the Truesdale Vista Point trailhead, the southbound trail passes the Elk River Wildlife Sanctuary Trail Access parking lot (0.6) and the junction with the Melvin "Cappy" McKinney Loop Trail, a short gravel path that is routed a little closer to the Elk River. The Loop Trail rejoins the main paved trail (0.8), which then crosses the old railroad right-of-way (1.3) (now a wonderful Class 1 trail that continues south for a mile), and reaches the Pound Road Park and Ride (1.5).

LA RUTA: El Hikshari' Trail tiene una excelente señalización direccional y de historia natural. Desde el comienzo del sendero Truesdale Vista Point, el sendero en dirección sur pasa por el estacionamiento de Elk River Wildlife Sanctuary Trail Access (0.6) y el cruce con Melvin "Cappy" McKinney Loop Trail, un sendero corto de grava que se enruta un poco más cerca del río Elk. . El Loop Trail vuelve a unirse al sendero pavimentado principal (0.8), que luego cruza las vías del tren (1.3) (ahora un maravilloso sendero Clase 1 que continúa hacia el sur por una milla) y llega al Pound Road Park and Ride (1.5).

UNDERSTANDING INVASIVE PLANTS

Volunteers spend many hours trying to manage non-native plants along the Hikshari' Trail. These are plants not from California's North Coast. They often out-compete native plants for moisture, sunlight, nutrients, and space. It is important to be careful not to spread the seeds or allow these plants to take root in our neighborhoods, in our parks, or along our trails. To make sure non-native plants don't spread, volunteer trail stewards have work parties to pull these plants out of the ground and safely dispose of them so the seeds do not spread. What follows are some of the intruders that the Hikshari' trail stewards are after.

COMPRENDER LAS PLANTAS INVASORAS

Los voluntarios pasan muchas horas tratando de manejar plantas no autóctonas a lo largo del sendero Hikshari. Estas son plantas, que no son de la costa norte de California, a menudo superan a las plantas nativas en cuanto a humedad, luz solar, nutrientes y espacio. Es importante tener cuidado de no esparcir las semillas o permitir que estas plantas echen raíces en nuestros vecindarios, en nuestros parques o/a lo largo de nuestros senderos. Para asegurarse de que las plantas no autóctonas no se propaguen, los administradores de senderos voluntarios organizarán grupos de trabajo para sacar estas plantas del suelo y desecharlas de manera segura para que las semillas no se propaguen. Lo que sigue son algunos de los intrusos que persiguen los administradores de senderos de Hikshari.

BECOME A VOLUNTEER TRAIL STEWARD!

The Volunteer Trail Stewards provide "eyes and ears" presence on designated trails, report observations and trail maintenance issues, perform basic litter collection and participate in maintenance work days.

¡CONVIÉRTASE EN UN ADMINISTRADOR DE SENDEROS VOLUNTARIO!

Los administradores voluntarios de senderos brindan presencia de "ojos y oídos" en los senderos designados, informan sobre las observaciones y los problemas de mantenimiento de los senderos, realizan la recolección básica de basura y participan en los días de trabajo de mantenimiento.

SCOTCH BROOM

Cytisus scoparius was initially brought to the East Coast and later became popular in California as an ornamental. From the 1850s through the early 1900s, Scotch broom was planted in gardens. Scotch broom is a durable plant that produces many seeds that remain viable for years. It is also a nitrogen-fixer that livestock won't eat so it continues to flourish on the North Coast.

Cytisus scoparius fue traido inicialmente a la costa este y luego se hizo popular en California como planta ornamental. Desde la década de 1850 hasta principios de 1900, la escoba escocesa se plantó en los jardines. Scotch broom es una planta duradera que produce muchas semillas que permanecen viables durante años. También es un fijador de nitrógeno que el ganado no come, por lo que continúa prosperando en la costa norte.

PAMPAS GRASS

Cortaderia jubata occurs in disturbed, open areas all across the North Coast. This fast-growing plant is native to southern South America and was introduced by nursery operators in Santa Barbara in 1848 and, unfortunately, remains popular in gardens to this day. Plants produce millions of seeds that can travel several miles. As many volunteers will attest, the leaves are very sharp and pampas grass stands make poor wildlife habitat.

Cortaderia jubata se encuentra en áreas abiertas perturbadas en toda la costa norte. Esta planta de rápido crecimiento es nativa del sur de América del Sur y fue introducida por operadores de viveros en Santa Bárbara en 1848 y, desafortunadamente, sigue siendo popular en los jardines hasta el día de hoy. Las plantas producen millones de semillas que pueden viajar varias millas. Como muchos voluntarios pueden atestiguar, las hojas son muy afiladas y los pastos de pampa son un hábitat pobre para la vida silvestre.

ENGLISH IVY

Hedera helix is one of our most despised non-native plants. Brought originally by European colonists to re-create landscapes reminiscent of their homelands, this evergreen vine scales trees to the height of 80 feet. As a groundcover it creates an "ivy desert" by choking out other plants. Alas, it continues to be sold at nurseries across the country because it grows quickly and requires absolutely no maintenance.

Hedera helix es una de nuestras plantas no nativas más despreciadas. Traído originalmente por los colonos europeos para recrear paisajes que recuerdan a sus países de origen, esta enredadera de hoja perenne trepa árboles a una altura de 80 pies. Como cubierta vegetal, crea un "desierto de hiedra" al ahogar otras plantas. Por desgracia, continúa vendiéndose en viveros de todo el país porque crece rápidamente y no requiere absolutamente ningún mantenimiento.

EUROPEAN BEACH GRASS

This clumping grass is found in dune systems from Santa Barbara, California north through the state. It was originally planted to stop the movement of sand. However, in natural dune systems sand movement is important for all native forms of life. European beach grass stabilizes dunes and out competes native plants. When removed, plant diversity immediately returns.

Esta hierba aglomerante se encuentra en los sistemas de dunas de Santa Bárbara, California, al norte del estado. Originalmente se plantó para detener el movimiento de la arena, pero en los sistemas de dunas naturales el movimiento de la arena es importante para todas las formas de vida nativas. Debido a que estabiliza las dunas, las plantas nativas no pueden competir con él y, por lo tanto, crea un entorno ausente de todas las demás formas de vida. Cuando se elimina, la diversidad regresa inmediatamente.

13

A TOWN THAT DISAPPEARED

UN PUEBLO QUE DESAPARECIÓ

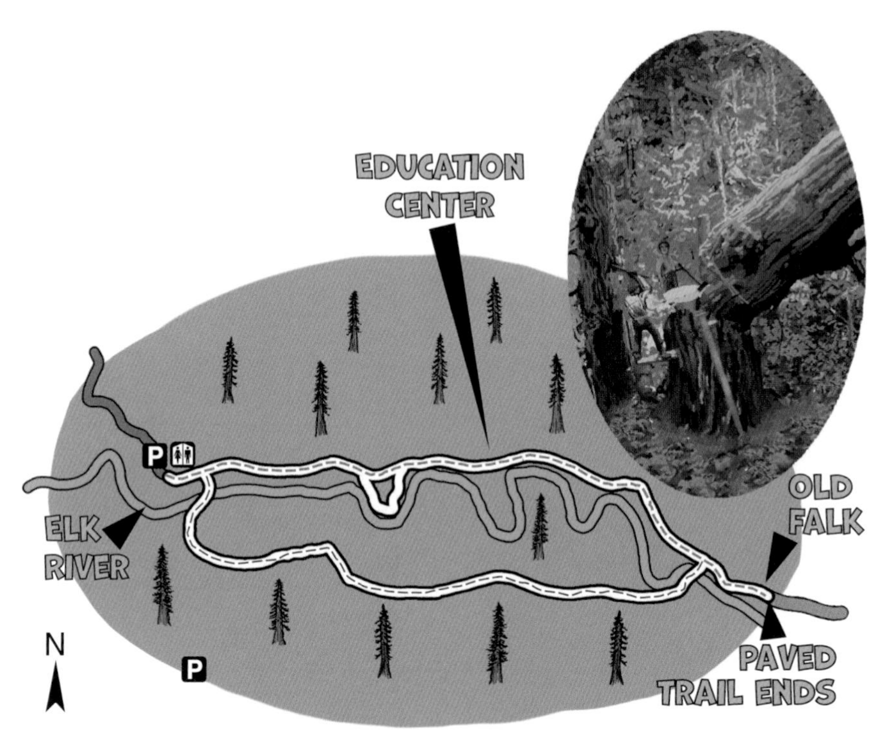

ELK RIVER TO FALK

Length (Longitud): 2.2 miles

Difficulty (Dificultad): Easy

Land management (Gestion de tierras): Bureau of Land Management, 707-825-2300

Access constraints (Restricciones de acceso): Open sunrise to sunset; the paved trail is handicapped accessible.

Dogs (Perros): Leashed

Bicycles (Bicicletas): Yes

Strollers (Cochecitos): Yes

Bathroom (Baño): At the trailhead.

Public Transport (Transporte público): No

YOUR ADVENTURE: This paved trail, sprinkled with informational signs, benches, and picnic tables, parallels the meandering Elk River to the site of the old logging town of Falk. Although most of the remnants of the logging past have been removed or absorbed by Mother Nature, signs of the past remain. The walk itself is very pleasant and there are several options for extending the adventure.

GETTING THERE: Drive south on US 101 for 3.8 miles taking the Herrick Avenue exit on the south end of Eureka. Turn left on Herrick Avenue crossing over 101. Turn right on Elk River Road (0.1 mile) and continue to the split with Ridgewood Drive (1.5 miles). Elk River Road veers right winding up the Elk River Valley for 3.3 more miles. At this signed intersection, Wrigley Road continues to the left and Elk River Road turns right crossing a bridge and continuing 0.9 mile to the Elk River Trail/Headwater parking lot. Approximate driving time, 25 minutes.

TU AVENTURA: Este sendero pavimentado, salpicado de letreros informativos, bancos y mesas de picnic, corre paralelo al serpenteante río Elk hasta el sitio del antiguo pueblo maderero de Falk. Aunque la mayoría de los restos del pasado maderero han sido eliminados o absorbidos por la Madre Naturaleza, quedan viejos signos del pasado. El paseo en sí es muy agradable y hay varias opciones para alargar la aventura.

CÓMO LLEGAR: Conduzca hacia el sur por la US 101 durante 3,8 millas y tome la salida de Herrick Avenue en el extremo sur de Eureka. Gire a la izquierda en Herrick Avenue cruzando la 101. Gire a la derecha en Elk River Road (0.1 milla) y continúe hasta la bifurcación con Ridgewood Drive (1.5 millas). Elk River Road gira a la derecha y asciende por el valle del río Elk durante 3,3 millas más. En esta intersección señalizada, Wrigley Road continúa hacia la izquierda y Elk River Road gira a la derecha cruzando un puente y continuando 0.9 millas hasta el estacionamiento de Elk River Trail/Headwater. Tiempo aproximado de conducción, 25 minutos.

THE ROUTE: From the parking lot walk south along the paved trail passing the Educational Center (0.6), created from a restored lumber train barn abandoned when the mill shut down in 1937. All along the way to the old town site for Falk (1.1), now long disappeared, are informational signs that talk about the natural and logging history of this area.

Extras: There is an intersection with an unpaved 1.6 mile seasonal trail that takes off to the right not far from the trailhead. This more strenuous trail has some stairs and steep sections. It follows the south side of Elk River before looping back to the main trail near the Falk town site. Another option, for those who want more, is to continue south from the end of the paved trail. This option follows the river before climbing to Headwaters Forest more than four miles away.

LA RUTA: Desde el estacionamiento, camine hacia el sur por el sendero pavimentado que pasa por el Centro Educativo (0.6), creado a partir de un granero de tren de madera restaurado abandonado cuando el aserradero cerró en 1937. Todo el camino hasta el sitio del casco antiguo de Falk (1.1), ahora desaparecidos hace mucho tiempo, se encuentran carteles informativos que hablan de la historia natural y maderera de esta zona. **Extras:** hay una intersección con un sendero estacional sin pavimentar de 1.6 millas que sale a la derecha no muy lejos del comienzo del sendero. Este sendero más extenuante tiene algunas escaleras y secciones empinadas. Sigue el lado sur del río Elk antes de regresar al sendero principal cerca del sitio de la ciudad de Falk. Otra opción, para los que quieren más, es continuar hacia el sur desde el final del camino pavimentado. Esta opción sigue el río antes de subir a Headwaters Forest, a más de cuatro millas de distancia.

SIGNS FROM THE PAST

As you walk, watch for signs from the lumber town of Falk. This area was once home to a thriving community and logging operation. Signs of the past along the one-mile Elk River interpretive trail, developed by the Bureau of Land Management, might be an old brick walkway, a hedgerow that used to decorate the entrance to a house, springboard notches in stumps, or even an old, well-worn trail down to the river.

Mientras camina, observe las señales del pueblo maderero de Falk. Esta área fue una vez el hogar de una comunidad próspera y una operación maderera. Los signos del pasado a lo largo del sendero interpretativo de una milla del río Elk, desarrollado por la Oficina de Administración de Tierras, pueden ser un viejo camino de ladrillos, un seto que solía decorar la entrada de una casa, muescas de trampolín en tocones o incluso un viejo , sendero muy usado hasta el río.

THE LUMBER TOWN OF FALK

Dozens of tiny Humboldt communities began as lumber camps, primitive outposts in the deep forest where many men—and a few women—worked to harvest and mill old-growth redwood trees until gone. Communities with names like Bullwinkel, Metropolitan, Newburg, and Falk have all vanished in this boom and bust world. Falk, once numbered 400 residents with a cookhouse, dance hall, general store, post office and school, but by the 1940s perhaps a dozen remained. When Charlie Webb passed away in the 1970s, no one was left.

The mill and the surrounding town were founded by Noah Falk in 1884. As the more accessible big trees in the Humboldt Bay area had been harvested by then, Falk had to purchase this timberland (for $2.50 per acre) more than an hour-long stagecoach ride away from Eureka. Since this was too far to expect workers to commute, he built a town.

There is still ample evidence of this past. Look carefully at the massive stumps along the trail for notches. Sawyers, using giant 2-person handsaws, would stand high above the ground on springboards inserted into these notches while cutting. It would take a full day to fell one tree and they would earn just $3 a day.

There were many different tasks aside from sawing, chopping, and milling these giant trees. There were jobs you might not think about. There were workers who peeled off the bark to make sawing and moving logs easier, others who kept skid roads watered to help logs slide, and still others who worked with teams of oxen or draft horses who pulled these logs. Women were busy tending gardens and caring for livestock.

These communities brought together different languages, cultures and traditions. In Falk, many residents were immigrants from Sweden, Norway, Ireland, and Nova Scotia.

But after 50 years, this bustling operation became a casualty of the falling timber prices of the Great Depression and the mill closed in 1937 and Falk emptied. Soon Falk became a ghost town "complete with forgotten mail in the slots, dishes still stacked in the cookhouse and old merchandise remaining on the shelves of the general store." The railroad was removed in the 1950s and the eventual owner, Cheney Lumber, burned and bulldozed Falk in 1979.

LA CIUDAD MADERERA DE FALK

Docenas de pequeñas comunidades de Humboldt comenzaron como campamentos madereros, puestos de avanzada primitivos en el bosque profundo donde muchos hombres, y algunas mujeres, trabajaron para cosechar y aserrar árboles de secuoya viejos hasta que desaparecieron. Comunidades con nombres como Bullwinkel, Metropolitan, Newburg y Falk han desaparecido en este mundo de auge y caída. Falk, una vez contó con 400 residentes con una cocina, un salón de baile, una tienda general, una oficina de correos y una escuela, pero en la década de 1940 quizás quedaba una docena. Cuando Charlie Webb falleció en la década de 1970, no quedó nadie.

El aserradero y el pueblo circundante fueron fundados por Noah Falk en 1884. Como los árboles grandes más accesibles en el área de la Bahía de Humboldt ya habían sido talados, Falk tuvo que comprar esta tierra maderera (por $2.50 por acre) más de una diligencia de una hora. lejos de Eureka. Como estaba demasiado lejos para esperar que los trabajadores viajaran, construyó una ciudad.

Todavía hay amplia evidencia de este pasado. Mire cuidadosamente los tocones masivos a lo largo del camino en busca de muescas. Los aserradores, que usaban sierras de mano gigantes para 2 personas, se paraban muy por encima del suelo sobre trampolines insertados en estas muescas mientras cortaban. Se necesitaría un día completo para talar un árbol y ganarían solo $ 3 por día.

Hubo muchas tareas diferentes además de aserrar, cortar y moler estos árboles gigantes. Había trabajos en los que quizás no pensarías. Había trabajadores que quitaban la corteza para facilitar el aserrado y el movimiento de los troncos, otros que mantenían los caminos de deslizamiento mojados para ayudar a que los troncos se deslizaran, y otros que trabajaban con yuntas de bueyes o caballos de tiro que tiraban de estos troncos. Las mujeres también estaban ocupadas cuidando los jardines y cuidando el ganado.

Estas comunidades reunieron diferentes idiomas, culturas y tradiciones. En Falk, muchos residentes eran inmigrantes de Suecia, Noruega, Irlanda y Nueva Escocia.

Pero después de 50 años, esta bulliciosa operación se convirtió en una víctima de la caída de los precios de la madera de la Gran Depresión y el aserradero cerró en 1937 y Falk se vació. Pronto, Falk se convirtió en un pueblo fantasma "con el correo olvidado en las ranuras, los platos aún apilados en la cocina y la mercancía vieja que quedaba en los estantes de la tienda general". El ferrocarril se eliminó en la década de 1950 y el eventual propietario, Cheney Lumber, quemó y demolió Falk en 1979.

14

WATCH FOR WILDLIFE

OBSERVAR LA VIDA SILVESTRE

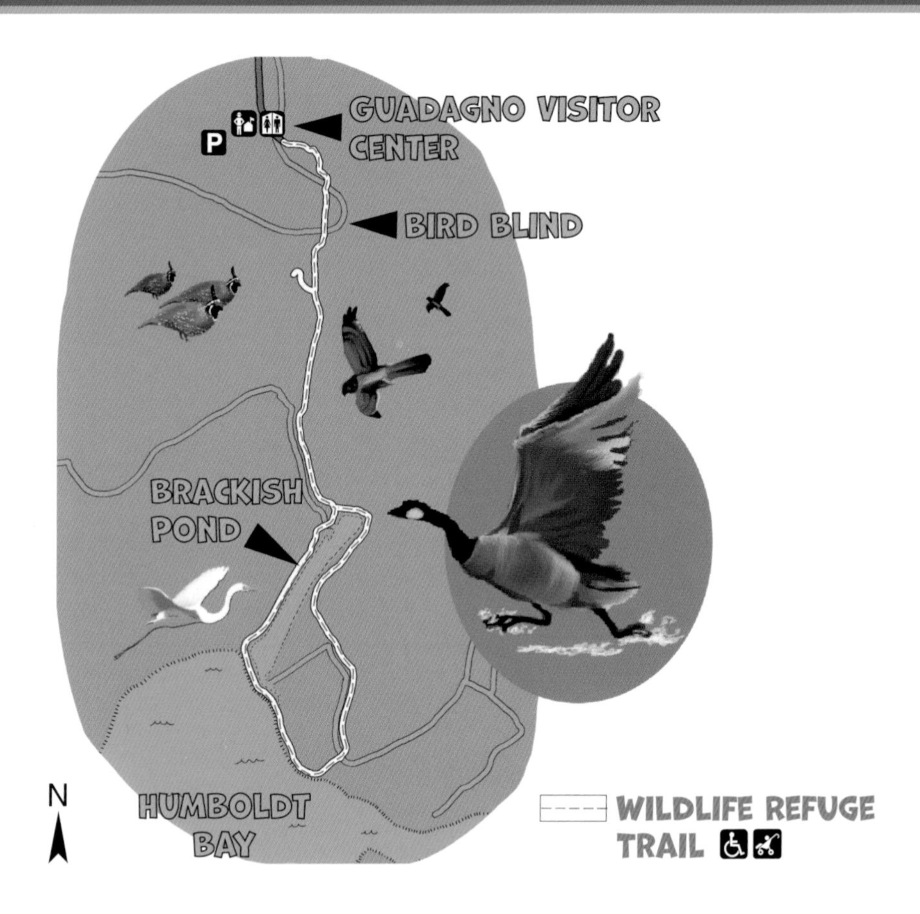

HUMBOLDT BAY NATIONAL WILDLIFE REFUGE

Length (Longitud): 1.75 miles

Difficulty (Dificultad): Easy

Land management (Gestion de tierras): U.S. Fish and Wildlife Service – (707) 733-5406

Fee (Tarifa): None

Access constraints (Restricciones de acceso): 8 a.m. – 5 p.m. only

Dogs (Perros): No

Bicycles (Bicicletas): No

Strollers (Cochecitos): Yes, hard-packed trail surface.

Bathroom (Baño): At the Richard J. Guadagno Visitor Center

Public Transport (Transporte público): No

YOUR ADVENTURE: This is a short walk through the estuary created by Salmon Creek and the southern part of Humboldt Bay, the extensive bird-rich wetland, and restored salt marsh. This is a level, gravel trail with an observation kiosk, interpretative panels, and a viewing platform. The trail winds past freshwater wetlands and a brackish pond until it bends back at Hookton Slough. This area is quite exposed and can often be buffeted by strong winds off the ocean. Early in the day maximizes the chance of less windy conditions.

GETTING THERE: Drive south about 10.4 miles on US 101 to the Hookton Road exit toward Loleta. Turn right on Loleta Drive and almost immediately left onto the Humboldt Bay National Wildlife Refuge access road. Follow that road for 1.6 miles to the Visitors Center parking lot. Approximate driving time, 20 minutes.

THE ROUTE: This signed route leaves from the south side of the Visitors Center. All potential wrong turns are well marked. There are benches, interpretative panels, and other features spaced out along the trail.

SU AVENTURA: esta corta caminata a través del estuario creado por Salmon Creek y la parte sur de la bahía de Humboldt y los extensos esfuerzos de restauración de marismas y humedales ricos en aves. Este es un sendero nivelado de grava con un quiosco de observación, paneles interpretativos y una plataforma de observación. El sendero serpentea pasando por humedales de agua dulce y un estanque salobre hasta que vuelve a girar en Hookton Slough. Esta área está bastante expuesta y, a menudo, puede ser azotada por fuertes vientos del océano. Temprano en el día maximiza la posibilidad de condiciones menos ventosas.

CÓMO LLEGAR: conduzca hacia el sur unas 10,4 millas por la US 101 hasta la salida de Hookton Road hacia Loleta. Gire a la derecha en Loleta Drive y casi inmediatamente a la izquierda en la vía de acceso al Refugio Nacional de Vida Silvestre de la Bahía de Humboldt. Siga ese camino durante 1,6 millas hasta el estacionamiento del Centro de Visitantes. Tiempo aproximado de conducción, 20 minutos.

LA RUTA: Esta ruta señalizada parte del costado sur del Centro de Visitantes. Todos los posibles giros equivocados están bien marcados. Hay bancos, paneles interpretativos y otras características espaciadas a lo largo del camino.

ALEUTIAN CACKLING GEESE

The recovery of the Aleutian cackling geese (a subspecies of Canada geese) from a few hundred birds in the late 1960s is a conservation success story. Arctic foxes, introduced to Aleutian Islands by fur traders, preyed on vulnerable goose rookeries and nearly wiped out the subspecies. Efforts were made to eliminate the foxes on four key islands. The rebound began almost immediately and today hundreds of thousands of these geese spend their winter around Humboldt Bay.

La recuperación del ganso cacareo de las Aleutianas (una subespecie del ganso canadiense) de unos cientos de aves a fines de la década de 1960 es una historia de éxito en materia de conservación. Los zorros árticos, introducidos en las islas Aleutianas por comerciantes de pieles, se aprovecharon de las vulnerables colonias de gansos y casi acabaron con la subespecie. Se hicieron esfuerzos para eliminar los zorros en cuatro islas clave. El rebrote comenzó casi de inmediato y hoy cientos de miles de estos gansos pasan su invierno alrededor de la Bahía de Humboldt.

FLY-OFF

On Saturdays and Sundays in March, the Wildlife Refuge entrance is open ½ hour before sunrise to allow visitors to watch the "fly-off," when thousands of geese depart for nearby fields to fatten up for their early to mid-April departure for the Aleutians. When they go most will fly 48 to 60 hours non-stop to get there.

Los sábados y domingos de marzo, la entrada del Refugio de Vida Silvestre está abierta ½ hora antes del amanecer para permitir que los visitantes observen el "vuelo", cuando miles de gansos parten hacia los campos cercanos para engordar para su salida de principios a mediados de abril hacia el Aleutianas. Cuando van, la mayoría vuela de 48 a 60 horas sin escalas para llegar allí.

FLIGHT IN A V-FORMATION

The V-formation helps conserve energy over long flights. It is estimated that military squadrons, cyclists, distance runners, and birds that adopt this strategy save 20-30 percent of their energy. This formation changes airflow, making it easier for birds behind to fly. To keep from exhausting the leading birds, those flying at the tips and at the front are rotated in a cyclical fashion.

La formación en V ayuda a conservar energía durante vuelos largos. Se estima que los escuadrones militares, ciclistas, corredores de fondo y pájaros que adoptan esta estrategia ahorran entre un 20 y un 30 por ciento de su energía. Esta formación cambia el flujo de aire, facilitando el vuelo de las aves que están detrás. Para no agotar a las aves que van en cabeza, las que vuelan en las puntas y en la parte delantera se rotan de forma cíclica.

CATTAILS

Typha latifolia are tall, reedy marsh plants that grow in fresh to slightly brackish waters. Some say the name comes from the distinctive fuzzy, elongated seed heads that have a passing resemblance to the tails of cats. What do you think? Cattail down from the seed heads is found in nests, can substitute for goose down, or serve as fire starter. The leaves can be woven together to make temporary shelters, mats, chairs, and baskets.

Typha latifolia son plantas pantanosas altas y llenas de juncos que crecen en aguas dulces o ligeramente salobres. Algunos dicen que el nombre proviene de las distintivas cabezas de semillas alargadas y difusas que tienen un parecido pasajero con las colas de los gatos. ¿Qué piensas? La espadaña de las cabezas de las semillas se encuentra en los nidos, puede sustituir al plumón de ganso o servir como iniciador de fuego. Las hojas se pueden tejer juntas para hacer refugios temporales, esteras, sillas y canastas.

MAKE A SOUND MAP

Be still. Listen. Listen some more. What do you hear? Where is the sound?

Create a map that shows how the sounds you hear look and record their locations in relation to you. Grab your nature journal (or paper and a clipboard), something to write with, and let's head outside!

Where: Outdoors in quiet space

Materials: Journal or clipboard with paper, pen/pencil

Time: 10-20 minutes

Who: Kids, and preferably their adults as well!

What: Create a 'map' with drawings and labels (optional) of all the things you hear surrounding you; in their approximate location from where you are sitting.

HACER UN MAPA SONORO

Estate quieto. Escucha. Escucha un poco más. ¿Qué escuchas? ¿Dónde está el sonido?

Crea un mapa que muestre cómo se ven los sonidos que escucha y registre sus ubicaciones en relación con usted. Toma tu diario de la naturaleza (o papel y un sujetapapeles), algo con que escribir y ¡salgamos!

Dónde: Al aire libre en un espacio tranquilo.

Materiales: Diario o portapapeles con papel, bolígrafo/lápiz

Tiempo: 10-20 minutos

Quién: ¡Niños, y preferiblemente sus adultos también!

Qué: Crea un "mapa" con dibujos y etiquetas (opcional) de todas las cosas que escuchas a tu alrededor; en su ubicación aproximada desde donde usted está sentado.

How: Draw yourself (or something that represents yourself like an X) in the middle of the page. Fill the page up with drawings (and labels if you'd like) of everything you hear surrounding you (from above, below, front, back, left, right).

The key is to draw how the sound might LOOK, not the actual thing making the sound. How might you add the bird or bee that flies overhead? How might you add the neighbor's rooster? The wind that comes from behind you? A car in the distance?

Be sure to label your map with the Location, Date, and Time.

Debrief: After a 10-15 minute sit, take another 5-10 minutes to compare and talk about the maps you created.

- In what different ways did you represent the same sounds?
- Do you agree on the source for each sound?
- Were there any Mystery Sounds?
- Which sounds did you both hear?
- And which sounds were you the only one to notice?

Extension: Repeat with new locations around your house or yard for new perspectives, or from the same spot at different times of day.

Math Connection: What fraction/percentage of the sounds you recorded were human-generated versus nature-generated? Make sound maps in different locations around your home, yard, neighborhood, or community open space (or even just at different times of the day). How do these proportions change with each different map?

Cómo: Dibújate a ti mismo (o algo que te represente como una X) en el medio de la página. Llena la página con dibujos (y etiquetas si quieres) de todo lo que escuchas a tu alrededor (desde arriba, abajo, adelante, atrás, izquierda, derecha).

La clave es dibujar cómo luciría el sonido, no la cosa real que produce el sonido. ¿Cómo podrías agregar el pájaro o la abeja que vuela por encima? ¿Cómo podrías agregar el gallo del vecino? ¿El viento que viene detrás de ti? ¿Un coche en la distancia?

Asegúrese de etiquetar su mapa con la ubicación, la fecha y la hora.

Informe: Después de una sesión de 10 a 15 minutos, tómese otros 5 a 10 minutos para comparar y hablar sobre los mapas que creó.

- ¿De qué maneras diferentes representó los mismos sonidos?
- ¿Estás de acuerdo con la fuente de cada sonido?
- ¿Hubo algún sonido misterioso?
- ¿Qué sonidos escucharon ambos?
- ¿Y qué sonidos fuiste el único en notar?

Extensión: repita con nuevas ubicaciones alrededor de su casa o jardín para obtener nuevas perspectivas, o desde el mismo lugar en diferentes momentos del día.

Conexión matemática: ¿Qué fracción/porcentaje de los sonidos que grabaste fueron generados por humanos versus generados por la naturaleza? Haga mapas de sonido en diferentes lugares de su casa, patio, vecindario o espacio abierto comunitario (o incluso en diferentes momentos del día). ¿Cómo cambian estas proporciones con cada mapa diferente?

SOUTHERN HUMBOLDT

ANCESTRAL LANDS OF THE

BEAR RIVER, MATTOLE, SINKYONE, CANTO, AND NONGATL

Carved by the epic floods of the Eel and Van Duzen Rivers and uplifted by the tectonic forces represented by the convergence of the Gorda, Continental, and Pacific Plates—Southern Humboldt looks like a rumpled blanket. The walks in Southern Humboldt are as varied as the landscape. Of course there are the redwood hikes, such as the short walk through **Founders Grove** north of Weott, or the **Cheatham Grove**, inland on State Route 36. These areas benefit from being just beyond the reach of the coastal marine layer. Warm enough for swimming in the summer! Or, there is the convenience of Fortuna's **Rohner Park** with its redwoods and playground.

There are dramatic beach walks. The hike south from **Centerville Beach to Fleener Creek** (part of the Lost Coast Headlands) and back through the site of the Cold War-era listening post, will always be one of my favorites. The consolidated mud cliffs just north of Fleener Creek are thick with fossils of giant Pacific scallops, snails, and clams. These stunning views are exceeded by the vistas of the more challenging walk from the mouth of the **Mattole River to the Punta Gorda Lighthouse** site and its elephant seal colony.

At the south end of the county is the pleasant 430-acre **Southern Humboldt Community Park** with its trails, riverside playground, and a community farm. Or check out the prairies and old orchards of **Hidden Valley**, a short distance east of Shelter Cove, which was once a part of an old homestead. These walks open seven great doors to family adventures.

Esculpido por las épicas inundaciones de los ríos Eel y Van Duzen y elevado por las fuerzas tectónicas representadas por la convergencia de las placas Gorda, Continental y del Pacífico, el sur de Humboldt parece una manta arrugada. Los paseos por el sur de Humboldt son tan variados como el paisaje. Por supuesto, están las caminatas por las secuoyas, como la caminata corta a través de **Founders Grove** al norte de Weott, o **Cheatham Grove**, tierra adentro en la ruta estatal 36. Estas áreas se benefician de estar fuera del alcance de la capa marina costera. ¡Suficientemente cálido para nadar en el verano! O bien, existe la comodidad del **Parque Rohner** de Fortuna con sus secuoyas y su área de juegos.

Hay espectaculares paseos por la playa. La caminata hacia el sur desde **Centerville Beach** hasta **Fleener Creek** (parte de Lost Coast Headlands) y de regreso a través del sitio del puesto de escucha de la era de la Guerra Fría, siempre será una de mis favoritas. Los acantilados de lodo consolidados justo al norte de Fleener Creek están repletos de fósiles de vieiras, caracoles y almejas gigantes del Pacífico. Estas impresionantes vistas se ven superadas por las vistas de la caminata más desafiante desde la desembocadura del **río Mattole** hasta el sitio del faro de **Punta Gorda** y su colonia de elefantes marinos.

En el extremo sur del condado se encuentra el agradable **Parque Comunitario Southern Humboldt** de 430 acres con sus senderos, área de juegos junto al río y una granja comunitaria. O echa un vistazo a las praderas y los viejos huertos de **Hidden Valley**, a poca distancia al este de Shelter Cove, que una vez fue parte de una antigua granja. Estos paseos abren siete grandes puertas a las aventuras familiares.

15

EXPLORE THE FRIENDLY CITY

EXPLORAR LA CIUDAD AMIGABLE

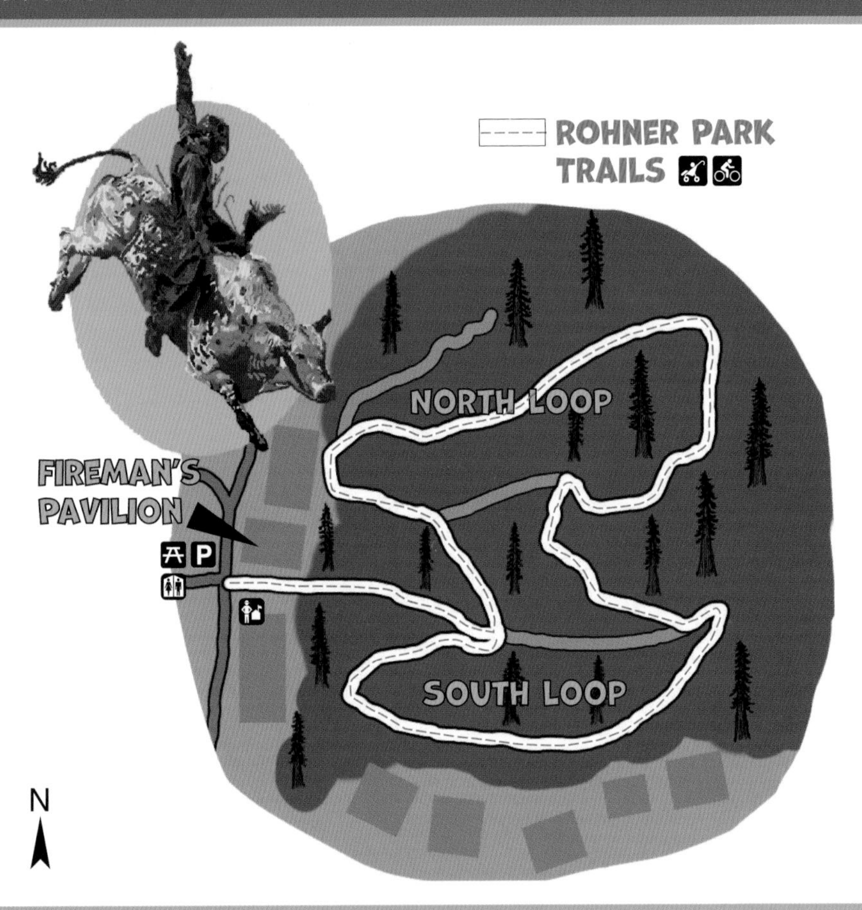

ROHNER PARK

Length (Longitud): 1.2 miles

Difficulty (Dificultad): Moderate

Land management (Gestion de tierras): City of Fortuna

Fee (Tarifa): None

Access constraints (Restricciones de acceso): Park closes at dusk

Dogs (Perros): Leashed

Bicycles (Bicicletas): Yes

Strollers (Cochecitos): Yes, on the main trails.

Bathroom (Baño): Yes, at the parking lot.

Public Transport (Transporte público): Monday – Saturday the Redwood Transit System stops at 11th and N Street in Fortuna about five blocks west of Rohner Park

YOUR ADVENTURE: Rohner Park hosts a second growth redwood forest. This walk combines two loop trails that make for good walking any time of the year. The forest is surrounded by the community of Fortuna and that creates some unusual interfaces with the trails. For example, the South Loop looks into the backyards of a row of houses and both loops pass fences often in various states of repair and gates that tease the walker. The convenience of this resource is ideal for walkers living in the Fortuna area. But, it is also worth a visit for families interested in trying a different urban redwood park beyond Sequoia Park and the Arcata Community Forest.

SU AVENTURA: Rohner Park alberga un segundo bosque de secuoyas. Esta caminata combina dos senderos circulares que son buenos para caminar en cualquier época del año. El bosque está rodeado por la comunidad de Fortuna y eso crea algunas interfaces inusuales con los senderos. Por ejemplo, South Loop mira hacia los patios traseros de una hilera de casas y ambos bucles pasan cercas a menudo en varios estados de reparación y puertas que molestan al caminante. La conveniencia de este recurso es ideal para los caminantes que viven en el área de Fortuna. Pero también vale la pena una visita para las familias interesadas en probar un parque urbano de secoyas diferente más allá del Parque Sequoia y el Bosque Comunitario Arcata.

GETTING THERE: Take US 101 south for almost 17 miles. Take Fortuna's Main Street exit and follow Main Street for 1.2 miles until reaching Park Street. There are Rohner Park signs at the corner of Main and Park. Turn left on Park Street. The entrance to the trails system is just before reaching the Fireman's Pavilion. There is abundant parking across from the Fireman's Pavilion. Approximate driving time, 25 minutes.

THE ROUTE: There is a large sign pointing to the entrance to the trail system on the south side of the Fireman's Pavilion. A broad central road serves as the primary artery for the Rohner Park network of trails. After 0.2 miles, the north and south loops diverge. The shorter South Loop (the right fork) offers views of Fortuna from its hillside vantage. It reconnects with the central road in 0.3 mile (0.5). Continue on the North Loop (the left fork) returning to the central road that quickly brings you back to the trail entrance (1.2 mile).

CÓMO LLEGAR: Tome la US 101 sur durante casi 17 millas. Tome la salida de Main Street de Fortuna y siga por Main Street durante 1.2 millas hasta llegar a Park Street. Hay letreros de Rohner Park en la esquina de Main y Park. Gire a la izquierda en Park Street. La entrada al sistema de senderos se encuentra justo antes de llegar al Pabellón de Bomberos. Hay abundante estacionamiento frente al Pabellón de Bomberos. Tiempo aproximado de conducción, 25 minutos.

LA RUTA: Hay un letrero grande que indica la entrada al sistema de senderos en el lado sur del Pabellón de Bomberos. Una amplia carretera central sirve como arteria principal para la red de senderos de Rohner Park. Después de 0,2 millas, los bucles norte y sur divergen. El South Loop más corto (la bifurcación a la derecha) ofrece vistas de Fortuna desde su posición ventajosa en la ladera. Se vuelve a conectar con la carretera central en 0,3 millas (0,5). Continúe por North Loop (la bifurcación a la izquierda) regresando a la carretera central que rápidamente lo lleva de regreso a la entrada del sendero (1.2 millas).

FETID ADDER'S TONGUE

FORTUNA RODEO

"Western Fun Along 101" reads the promotion for this century-old Humboldt County tradition. With events like bareback riding, tie-down roping, saddle bronc riding, steer wrestling, barrel racing, and bull riding the rodeo highlights the practical skills honed on area cattle ranches. Speed, strength, skill, horsemanship, and courage are all on display. Since the 1930s, the Fortuna Volunteer Fire Department has been an active partner in the rodeo hosting "Fireman's Games" as part of the week. Significantly, the Fortuna Rodeo Association made the decision to become a strictly amateur rodeo beginning in 1955.

In addition, there is a junior rodeo and a week of family-focused activities included in the schedule. Over the years a variety of other contests have come and gone from greased pole climbing to outhouse races to ugly dog competition. In 2013, when Bands, Bulls, Brews and Broncs was the theme, a game of "cowboy poker" was featured. The last card-player to leave the table when a bull entered the arena was the winner. "It's not just the raging bulls and courageous cowhands; the Fortuna Rodeo is a week-long family festival with something for everyone," organizers declare.

All profits from the rodeo are used to maintain and improve facilities at Rohner Park.

"Western Fun Along 101" dice la promoción de esta tradición centenaria del condado de Humboldt. Con eventos como montar a pelo, amarrar lazos, montar broncos en silla de montar, lucha de novillos, carreras de barriles y monta de toros, el rodeo destaca las habilidades prácticas perfeccionadas en los ranchos ganaderos del área. Se muestran la velocidad, la fuerza, la habilidad, la equitación y el coraje. Desde la década de 1930, el Departamento de Bomberos Voluntarios de Fortuna ha sido un socio activo en el rodeo que organiza los "Juegos de Bomberos" como parte de la semana. Significativamente, la Fortuna Rodeo Association tomó la decisión de convertirse en un rodeo estrictamente amateur a partir de 1955.

Además, hay un rodeo juvenil y una semana de actividades enfocadas en la familia incluidas en el programa. A lo largo de los años, una variedad de otros concursos han ido y venido, desde escalar postes engrasados hasta carreras de letrinas y competencias de perros feos. En 2013, cuando el tema fue Bands, Bulls, Brews and Broncs, se presentó un juego de "cowboy poker". El último jugador de cartas en abandonar la mesa cuando un toro entraba en la arena era el ganador. "No son solo los toros bravos y los vaqueros valientes; Fortuna Rodeo es un festival familiar de una semana con algo para todos", declaran los organizadores.

Todas las ganancias del rodeo se utilizan para mantener y mejorar las instalaciones de Rohnert Park.

NATURE JOURNALING

Wondering what to do with a Nature Journal? Learn the basics and start recording observations in your own yard and neighborhood. There are countless discoveries to be made!

What: A nature journal is a place for using drawings and words to record observations you make when you're outside.

Materials: 1) A notebook (preferably with blank pages) or clipboard and stapled together blank paper 2) pencil/pen and/or other drawing/painting supplies

Time: 15-30 minutes

How: Use nature journals to keep track of observations when outdoors—your experiences, what you notice, what these things remind you of, questions you have, and how all this makes you feel... noticing your feelings is an important observation too! Be sure to date each entry so you can flip through to look for patterns throughout the days, weeks, months, and even years.

DIARIO DE LA NATURALEZA

¿Se pregunta qué hacer con un diaro de naturaleza Nature Journal? Aprenda los conceptos básicos y comience a registrar observaciones en su propio patio y vecindario.

Qué: Un diario de la naturaleza es un lugar para usar dibujos y palabras para registrar las observaciones que haces cuando estás afuera.

Materiales: 1) Un cuaderno (preferiblemente con páginas en blanco) o portapapeles y papel en blanco engrapado 2) lápiz/bolígrafo y/u otros materiales de dibujo/pintura

Tiempo: 15-30 minutos

Cómo: use diarios de la naturaleza para realizar un seguimiento de las observaciones cuando esté al aire libre: sus experiencias, lo que nota, lo que estas cosas le recuerdan, las preguntas que tiene y cómo todo esto lo hace sentir... ¡Observar sus sentimientos también es una observación importante! Asegúrese de fechar cada entrada para que pueda hojear y buscar patrones a lo largo de los días, semanas, meses e incluso años.

MORE TO EXPLORE

Fortuna has two other family-friendly walks. Riverwalk is a popular three-mile long gravel path atop the levee protecting Fortuna from the Eel River. The area near River Lodge Conference Center has ample parking and is well situated to serve as a trailhead. The Gene Lucas Community Center and the McLean Foundation campus include 30 acres of wetlands and one mile of gravel trails. An additional benefit is that it is adjacent to Newburg Park with its amenities.

RIVERWALK

Fortuna tiene otros dos paseos familiares. Riverwalk es un popular camino de grava de tres millas de largo sobre el dique que protege Fortuna del río Eel. El área cerca del centro de conferencias River Lodge tiene un amplio estacionamiento y está bien situada para servir como punto de partida. La comunidad de Gene Lucas y el campus de la Fundación McLean incluyen 30 acres de humedales y una milla de senderos de grava. Un beneficio adicional es que se encuentra junto a Newburg Park con sus comodidades.

16

A JOURNEY BACK IN TIME

UN VIAJE ATRÁS EN EL TIEMPO

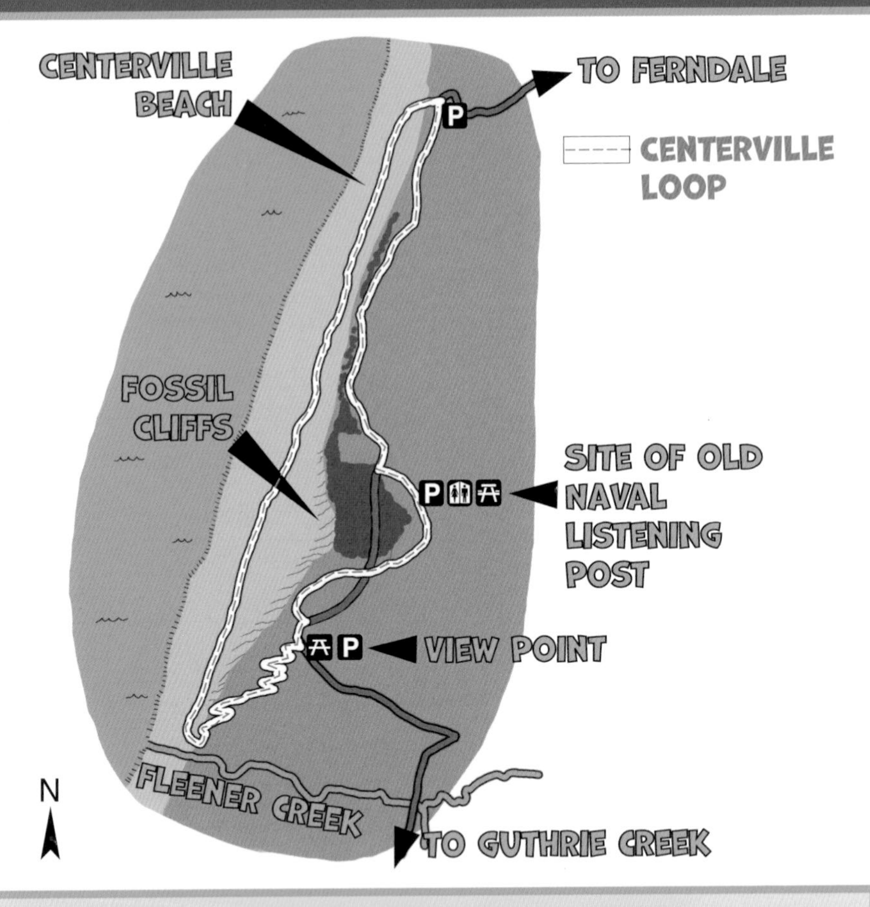

CENTERVILLE BEACH TO FLEENER CREEK

Length (Longitud): 2.8 miles with shorter options

Difficulty (Dificultad): Easy to challenging

Land management (Gestion de tierras): BLM

Fee (Tarifa): none

Access constraints (Restricciones de acceso): Not possible to pass to Fleener Creek on Centerville Beach at medium to high tides (>1.0).

Dogs (Perros): Yes

Bicycles (Bicicletas): No

Strollers (Cochecitos): No

Bathroom (Baño): Lost Coast Headlands Picnic Area

Public Transport (Transporte público): No

YOUR ADVENTURE: This hike offers a variety of attractions including immense bluffs, fossils, the SS Northerner memorial, and the dismantled Naval Listening Post site. It can be done as an out-and-back along the beach, as a walk from the Fleener Creek parking lot, or a more ambitious loop. The Centerville County Park offers off-road parking (but little more) and a good starting point for the loop because of the prevailing northwesterly winds. Above the way south loom dramatic bluffs that were, in geological terms, sea floor not that long ago. At Fleener Creek the route turns east following the trail as it switchbacks steeply up. To complete the loop, the route follows a rocked trail to the Lost Coast Headlands Picnic Area on the site of the dismantled Naval Listening Post and back along the little used Centerville Road.

SU AVENTURA: Esta caminata ofrece una variedad de atracciones que incluyen inmensos acantilados, fósiles, el monumento SS Northerner y el sitio del puesto de escucha naval desmantelado. Se puede hacer como una ida y vuelta a lo largo de la playa, como una caminata desde el estacionamiento de Fleener Creek, o como un circuito más ambicioso. El parque del condado de Centerville ofrece estacionamiento fuera de la carretera (pero poco más) y un buen punto de partida para el circuito debido a los vientos predominantes del noroeste. Por encima del camino hacia el sur se alzan dramáticos riscos que, en términos geológicos, eran lecho marino hace mucho tiempo. En Fleener Creek, la ruta gira hacia el este siguiendo el sendero a medida que sube abruptamente. Para completar el bucle, la ruta sigue un sendero rocoso hasta el área de picnic de Lost Coast Headlands en el sitio del puesto de escucha naval desmantelado y de regreso a lo largo de Centerville Road, poco utilizado.

GETTING THERE: Proceed south on US 101 14.3 miles to the Fernbridge/ Ferndale exit. In 0.2 miles, at the stop sign, turn right on Singley Road. In 0.5 mile turn right on CA 211, which crosses the Eel River on Fernbridge. Continue 4.1 miles toward Ferndale turning right on Arlington Avenue and in 0.3 mile left on 5th. Proceed 0.4 mile to Shaw Avenue. Turn right on Shaw Avenue and again right on Centerville Road (0.2 mile). Proceed west on Centerville Road 4.5 miles to the County Park or 5.5 miles to the Fleener Creek trailhead parking area. Approximate driving time, 40 minutes.

THE ROUTE: From the Centerville Beach parking lot, walk south. The initial soft sand gives way to firmer sand as the beach quickly is bounded on the landside by sheer bluffs. These impressive formations offer few outlets if you misjudge the tide and care should be taken in timing this section of the walk. The beach broadens and the bluffs give way to Fleener Creek (1.2). The inviting valley opens to the east and is the way to the Fleener Creek Overlook. A narrow fenced opening on the north side of the Creek provides access to the trail that switchbacks up to the Overlook and Centerville Road (1.7). From the Overlook, a rocked trail crosses the meadow to a crossing of Centerville Road (1.8) and continues, complete with an informational sign, to the Lost Coast Headland Picnic Area (2.0). Carefully finish your walk descending on Centerville Road to the County Park (2.7) or send a driver for a car.

CÓMO LLEGAR: Continúe hacia el sur por US 101 14.3 millas hasta la salida Fernbridge/Ferndale. En 0.2 millas, en la señal de alto, gire a la derecha en Singley Road. En 0.5 millas, gire a la derecha en CA 211, que cruza el río Eel en Fernbridge. Continúe 4.1 millas hacia Ferndale girando a la derecha en Arlington Avenue y en 0.3 millas a la izquierda en 5th. Continúe 0.4 millas hasta Shaw Avenue. Gire a la derecha en Shaw Avenue y nuevamente a la derecha en Centerville Road (0.2 millas). Continúe hacia el oeste en Centerville Road 4.5 millas hasta el parque del condado o 5.5 millas hasta el área de estacionamiento del comienzo del sendero Fleener Creek. Tiempo aproximado de conducción, 40 minutos.

LA RUTA: Desde el estacionamiento de la playa Centerville, camine hacia el sur. La arena suave inicial da paso a arena más firme a medida que la playa rápidamente está delimitada en el lado de la tierra por acantilados escarpados. Estas impresionantes formaciones ofrecen pocas salidas si calcula mal la marea y se debe tener cuidado al cronometrar esta sección de la caminata. La playa se ensancha y los acantilados dan paso a Fleener Creek (1.2). El acogedor valle se abre hacia el este y proporciona el camino hacia Fleener Creek Overlook. Una estrecha abertura cercada en el lado norte del arroyo brinda acceso al sendero que serpentea hacia Overlook y Centerville Road (1.7). Desde Overlook, un sendero rocoso cruza el prado hasta un cruce de Centerville Road (1.8) y continúa, completo con un letrero informativo, hasta el área de picnic Lost Coast Headland (2.0). Termine con cuidado su caminata descendiendo por Centerville Road hasta County Park (2.7) o envíe un conductor.

FLEENER CREEK SCAVENGER HUNT
BÚSQUEDA DEL TESORO EN FLEENER CREEK

FOSSILS

South past the golden sandstone bluffs is a grey layer of unconsolidated mud. These unstable mud cliffs are rich with fossils dating from around two million years ago (the late Pliocene to early Pleistocene Epoch). Close examination of the mud layer will reveal fossils of sea creatures such as giant Pacific scallops, snails, and clams. This mud once formed the edge of a shallow sea. The unconsolidated mud deposits end shortly before reaching the mouth of Fleener Creek. Fossils can also be found in the bluffs south of Guthrie Creek.

Al sur, más allá de los acantilados de arenisca dorada, hay una capa gris de lodo no consolidado. Estos acantilados de lodo inestables son ricos en fósiles que datan de hace unos dos millones de años (del Plioceno tardío al Pleistoceno temprano). Un examen minucioso de la capa de lodo revelará fósiles de criaturas marinas como vieiras gigantes del Pacífico, caracoles y almejas. Este lodo una vez formó el borde de un mar poco profundo. Los depósitos de lodo no consolidados terminan poco antes de llegar a la desembocadura de Fleener Creek. Los fósiles también se pueden encontrar en los acantilados al sur de Guthrie Creek.

MORE TO EXPLORE: GUTHRIE CREEK

In tides of -1.0 or lower it is possible to safely reach Guthrie Creek 1.2 miles further south on the beach from Fleener Creek. It is important to be very cautious as the high cliffs offer little escape if you misjudge.

The other option is to drive past the Fleener Creek trailhead for another 2 miles and park and hike from the Guthrie Creek Trailhead.

Ir a Guthrie Creek desde Fleener Creek.

En mareas de -1.0 o menos, es posible llegar con seguridad a Guthrie Creek 1.2 millas más al sur en la playa desde Fleener Creek. Es importante ser muy cauteloso ya que los altos acantilados ofrecen poca escapatoria si se juzga mal.

La otra opción es conducir más allá del comienzo del sendero Fleener Creek por otras 2 millas y estacionar y caminar desde el comienzo del sendero Guthrie Creek.

NAVAL LISTENING POST

For more than three decades beginning in 1958, the Navy operated a Sound Surveillance System from a 37-acre compound that grew to 24 buildings and a staff of as many as 280. Its Cold War era mission was to monitor the distant movement of Soviet submarines using sophisticated offshore sonar listening devices connected to the on-shore facility by lengthy coaxial cables. Technological advances eventually rendered the facility obsolete.

Durante más de tres décadas a partir de 1958, la Armada operó un Sistema de Vigilancia de Sonido desde un complejo de 37 acres que creció a 24 edificios y un personal de hasta 280. Su misión en la era de la Guerra Fría era monitorear el movimiento distante de los submarinos soviéticos. utilizando sofisticados dispositivos de escucha de sonar en alta mar conectados a la instalación en tierra mediante largos cables coaxiales. Los avances tecnológicos acabaron por dejar obsoleta la instalación.

CENTERVILLE BEACH ROAD

For several decades before completion of the Wildcat Road (1891), the four miles of broad, firm beach south of Centerville were part of the stage and wagon route between Petrolia and the Eel River Valley. Even though there was an inland alternative as early as 1875, some found the beach's smooth surface irresistible. As a result there were many tales of travelers who unwisely chanced the beach only to have their wagon snatched by the hungry ocean. Today, except in the lowest of tides, it is hard to imagine a Centerville Beach Road.

Durante varias décadas antes de la finalización de Wildcat Road (1891), las cuatro millas de playa amplia y firme al sur de Centerville formaban parte de la ruta de etapas y vagones entre Petrolia y el valle del río Eel. A pesar de que había una alternativa tierra adentro ya en 1875, algunos encontraron irresistible la suave superficie de la playa. Como resultado, hubo muchas historias de viajeros que imprudentemente se arriesgaron a llegar a la playa solo para que el océano hambriento les arrebatara su carreta. Hoy, excepto en las mareas más bajas, es difícil imaginar un Centerville Beach Road.

WRECK OF THE SS NORTHERNER

The concrete cross commemorating the 38 passengers and crew who perished in the shipwreck of the SS Northerner on January 6, 1860, once set atop the bluff above Centerville Beach. Because of an earthquake and erosion the cross is looking for a new home. The Northerner was on its regular route from San Francisco to Victoria when it struck offshore rocks and foundered near Cape Mendocino before ultimately beaching in heavy surf near Centerville.

La cruz de hormigón que conmemora a los 38 pasajeros y la tripulación que perecieron en el naufragio del SS Northerner el 6 de enero de 1860, una vez colocada sobre el acantilado sobre Centerville Beach. A causa de un terremoto y la erosión la cruz busca un nuevo hogar. El Northerner estaba en su ruta regular de San Francisco a Victoria cuando chocó contra rocas en alta mar y se hundió cerca del cabo Mendocino antes de finalmente encallar en un fuerte oleaje cerca de Centerville.

SMALL CAVE

Notice the small cave that was hand dug near the side of the road just before reaching Centerville Beach. There was a time that farmers stashed raw milk in the cool recesses of the cave that would then be picked up for processing.

Observe la pequeña cueva que fue excavada a mano cerca del costado de la carretera justo antes de llegar a Centerville Beach. Hubo un tiempo en que los granjeros escondían leche cruda en los rincones frescos de la cueva que luego se recogía para procesarla.

17

WATCH FOR EWOKS

ESTÉ ATENTO A LOS EWOKS

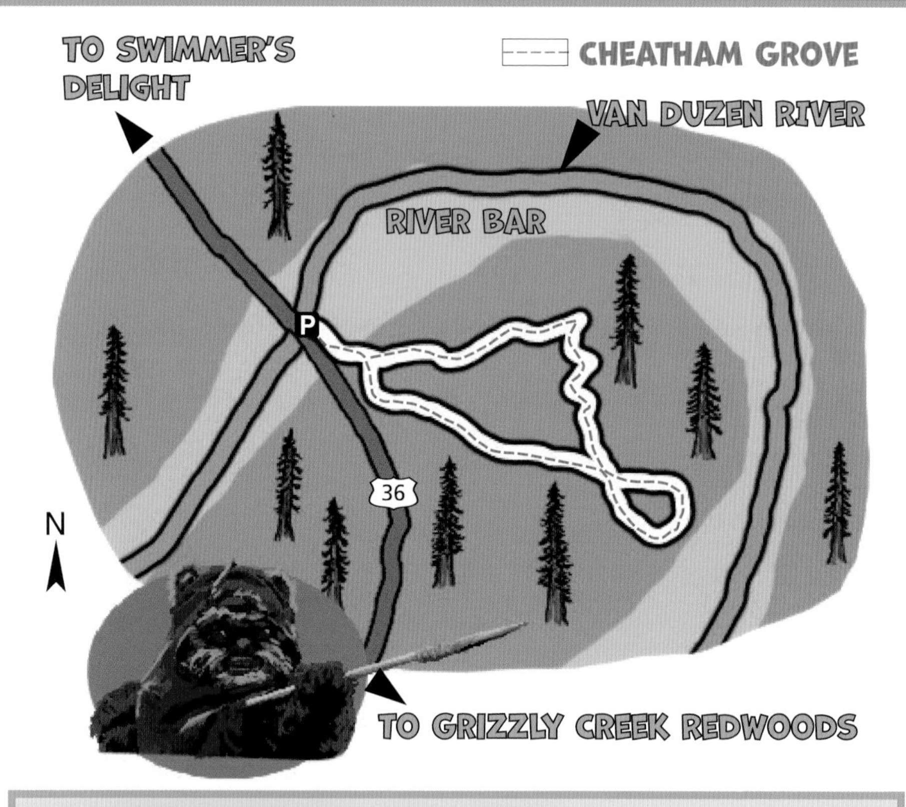

CHEATHAM GROVE AND MORE

Length (Longitud): 0.7–1.5 miles

Difficulty (Dificultad): Easy to Moderate

Land management (Gestion de tierras): California State Parks - (707) 777-3683, Humboldt County Parks – 707-445-7651

Fee (Tarifa): $8 day use fee at Grizzly Creek Redwoods SP; $5 day use fee at Swimmers' Delight; no day use fee at Cheatham Grove

Access constraints (Restricciones de acceso): Toxic blue-green algae in the Van Duzen River can become an issue in late summer

Dogs (Perros): Swimmers' Delight only

Bicycles (Bicicletas): No

Strollers (Cochecitos): No

Bathroom (Baño): Visitor's Center at Grizzly Creek Redwoods and at Swimmers' Delight

Public Transport: No

YOUR ADVENTURE: Located on a bend in the Van Duzen River, Owen R. Cheatham Grove is a majestic patch of old growth redwoods spared by the founder of what would become the Georgia-Pacific Plywood and Lumber Company. The short hike loops through the grove. Although there is river access here, the better alternative for summer swimming and water play is at Swimmers' Delight. Swimmers' Delight offers 30 camping sites set in an old-growth redwood grove. Grizzly Creek Redwoods State Park offers a network of trails on the north and south side of the Van Duzen River, camping, and wading.

SU AVENTURA: Ubicada en un recodo del río Van Duzen, Owen R. Cheatham Grove es una zona majestuosa de secuoyas viejas preservadas por el fundador de lo que se convertiría en Georgia-Pacific Plywood and Lumber Company. La corta caminata recorre la arboleda. Aunque aquí hay acceso al río, la mejor alternativa para nadar en verano y jugar con agua es Swimmers' Delight. Swimmers' Delight ofrece 30 sitios para acampar ubicados en un antiguo bosque de secoyas. El parque estatal Grizzly Creek Redwoods ofrece una red de senderos en el lado norte y sur del río Van Duzen, campamentos y vadeo.

GETTING THERE: Drive south on US 101 for 20.6 miles taking the SR 36 exit (0.3 mile). Turn left on SR 36 and follow it east for 12 miles to the right turn to Swimmers' Delight, 12.9 miles to Cheatham Grove, and 17 miles to Grizzly Creek Redwoods State Park. The entrance to Cheatham Grove is on the left side of the highway, descending quickly to a parking area. The turn is not well marked. Both Swimmers' Delight and Grizzly Creek Redwoods State Park are clearly signed.

THE ROUTE:

Cheatham Grove. The trail through the grove begins on the north side of the parking area and winds through this stand of old growth. There are a few short spur trails but the area is small enough and bounded by the river that there is little possibility of getting lost. There is also a trail from the west side of the parking area that leads to the Van Duzen River. The full loop is about 0.9 mile.

CÓMO LLEGAR: Conduzca hacia el sur por la US 101 durante 20,6 millas y tome la salida SR 36 (0,3 millas). Gire a la izquierda en la SR 36 y sígala hacia el este durante 12 millas, gire a la derecha hacia Swimmers' Delight, 12.9 millas hasta Cheatham Grove y 17 millas hasta Grizzly Creek Redwoods State Park. La entrada a Cheatham Grove está en el lado izquierdo de la carretera, descendiendo rápidamente a un área de estacionamiento. El giro no está bien marcado. Tanto Swimmers' Delight como Grizzly Creek Redwoods State Park están claramente señalizados.

LA RUTA:

Cheatham Grove. El sendero a través de la arboleda comienza en el lado norte del área de estacionamiento y serpentea a través de este grupo de vegetación antigua. Hay algunos senderos rectos cortos, pero el área es lo suficientemente pequeña y está delimitada por el río, por lo que hay pocas posibilidades de perderse. También hay un sendero desde el lado oeste del área de estacionamiento que conduce al río Van Duzen. El bucle completo es de aproximadamente 0,9 millas.

Grizzly Creek Redwoods. Access to the north side network of more challenging trails begins just across Highway 36 from the Visitor's Center. After a careful crossing of this busy highway, turn right. Stay right at the trail intersection (0.1) continuing on the Nature Trail as it climbs briefly and loops around to (0.5) an intersection with the 'Hikers Trail'. Turn right on this trail (or continue downhill for 200 feet to a reunion with the trail from the Visitor's Center). The 'Hikers Trail' continues to a viewpoint above Grizzly Creek (0.9) before descending and looping back toward the Visitor's Center (1.2). There is a connecting trail and an option that takes you underneath the SR 36 bridge over Grizzly Creek to a picnic area

Swimmers' Delight. The best walk here is along the paved loop road through the campground (0.5). For the more adventurous, there is a trail from the entrance road north of the entrance station that goes to Pamplin Grove 1.6 miles west. That full trail is NOT recommended but 0.3 miles from the entrance road is an elaborate bridge system that would be fun for older children. Special care would need to be taken for younger children. There is also abundant poison oak is this area.

Secuoyas de Grizzly Creek. El acceso a la red del lado norte de senderos más desafiantes comienza justo al otro lado de la autopista 36 desde el Centro de visitantes. Después de un cruce cuidadoso de esta concurrida carretera, gire a la derecha. Manténgase a la derecha en la intersección del sendero (0.1) y continúe por el Sendero natural mientras sube brevemente y gira hasta (0.5) una intersección con el "Sendero de excursionistas". Gire a la derecha en este sendero (o continúe cuesta abajo durante 200 pies para reunirse con el sendero del Centro de visitantes). El 'Sendero para excursionistas' continúa hasta un mirador sobre Grizzly Creek (0.9) antes de descender y regresar hacia el Centro de visitantes (1.2). Hay un sendero de conexión y una opción que lo lleva debajo del puente SR 36 sobre Grizzly Creek a un área de picnic.

Delicia de los nadadores. El mejor paseo aquí es a lo largo de la carretera de circunvalación pavimentada que atraviesa el campamento (0,5). Para los más aventureros, hay un sendero desde el camino de entrada al norte de la estación de entrada que va a Pamplin Grove 1,6 millas al oeste. NO se recomienda ese sendero completo, pero a 0.3 millas de la carretera de entrada hay un elaborado sistema de puentes que sería divertido para los niños mayores. Habría que tener especial cuidado con los niños más pequeños. También abunda el roble venenoso en esta zona.

VAN DUZEN SCAVENGER HUNT

BÚSQUEDA DEL TESORO DE VAN DUZEN

1964 FLOOD

As you walk through Cheatham Grove imagine water from the Van Duzen River being over your head. In late December, 1964 through early January, 1965 nearly every major stream and river in coastal Northern California established records for flooding. A combination of a heavy snowpack in the mountains, with an atmospheric river that dumped 22 inches of warm rain on the Eel River basin in two days, resulted in flooding that isolated Humboldt County from the rest of the state and completely destroyed communities like Klamath, Weott, Shively, Pepperwood, and Stafford.

Mientras camina por Cheatham Grove, imagine que el agua del río Van Duzen le cubre la cabeza. Desde finales de diciembre de 1964 hasta principios de enero de 1965, casi todos los arroyos y ríos principales de la costa norte de California establecieron récords de inundaciones. Una combinación de una fuerte capa de nieve en las montañas, con un río atmosférico que arrojó 22 pulgadas de lluvia cálida en la cuenca del río Eel en dos días, resultó en inundaciones que aislaron al condado de Humboldt del resto del estado y destruyeron por completo comunidades como Klamath, Weott, Shively, Pepperwood y Stafford.

LEATHER FERNS

This is an epiphyte, meaning that it grows on other plants but does not feed off them (not parasites) or harm them. The ferns trap organic material on redwood branches that breaks down into soil helping to create an entire ecosystem far above the ground. Researchers have discovered enormous fern mats in the redwood canopy.

Esta es una epífita, lo que significa que crece en otras plantas pero no se alimenta de ellas (no las parasita) ni las daña. Los helechos atrapan material orgánico en las ramas de secoya que se descompone en el suelo y ayuda a crear un ecosistema completo muy por encima del suelo. Los investigadores han descubierto enormes esteras de helechos en el dosel de secoyas.

EWOKS FROM STAR WARS

Episode VI in the Star Wars series ("Return of the Jedi") used Cheatham Grove as a backdrop for filming Luke and Leia on speeders in a frantic chase scene with stormtroopers on the forest moon of Endor. Enough other redwood groves on the North Coast served as extras in that movie that the Save the Redwoods League celebrates Star Wars Day every May 4th (as in, "May the 4th be with you...").

El episodio VI de la serie Star Wars ("El retorno del Jedi") usó Cheatham Grove como telón de fondo para filmar a Luke y Leia en deslizadores en una escena de persecución frenética con soldados de asalto en la luna boscosa de Endor. Muchos otros bosques de secoyas en la costa norte sirvieron como extras en esa película que la Liga Save the Redwoods celebra el Día de Star Wars cada 4 de mayo (como en "Que el 4 te acompañe...").

18

GETTING LOST ON THE COAST

PERDERSE EN LA COSTA

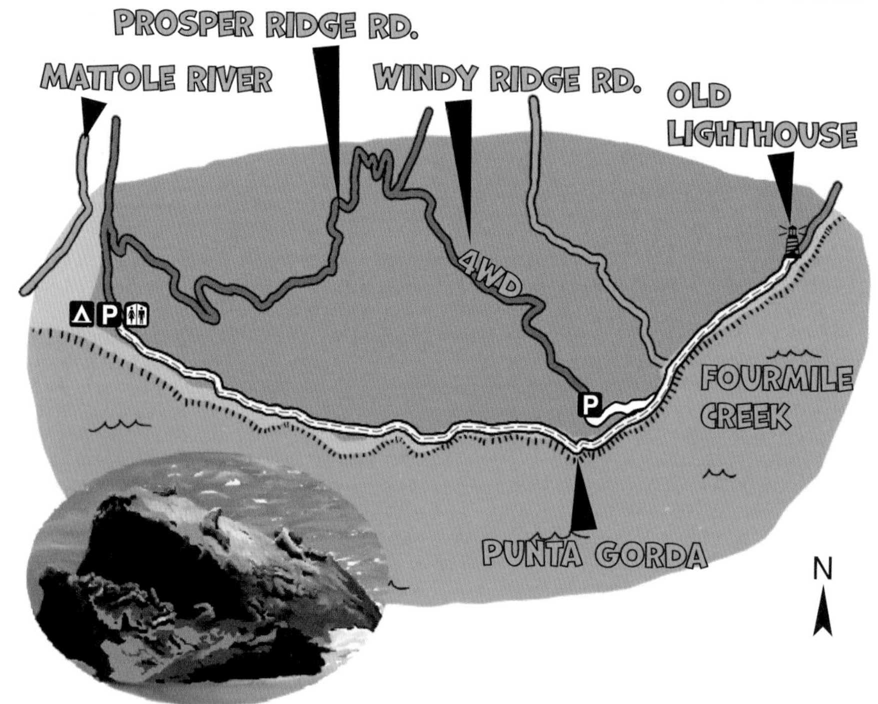

MOUTH OF THE MATTOLE RIVER TO PUNTA GORDA

Length (Longitud): 1.3-3.2 miles

Difficulty (Dificultad): Challenging

Land management (Gestion de tierras): Bureau of Land Management, 707-986-5400

Access constraints (Restricciones de acceso): Avoid high tides; high water can make the Fourmile Creek crossing difficult

Dogs (Perros): No

Bicycles (Bicicletas): No

Strollers (Cochecitos): No

Bathroom (Baño): At the trailhead

Public Transport (Transporte público): No

YOUR ADVENTURE: This is the most challenging walk included in this book, but also one of the most rewarding. Although you can turn around at any time, there are ample rewards for reaching the remnants of the Punta Gorda lighthouse. The soft sand and the omnipresent northwest wind can make this walk a trudge although early starts help diminish the latter challenge. Hills rise steeply from the beach and help create the character that makes the Lost Coast one of the premiere walking experiences in Humboldt County. If you have a 4-wheel drive, high-clearance vehicle you can shorten the walk considerably by driving to Windy Point trailhead.

TU AVENTURA: Esta es la caminata más desafiante incluida en este libro, pero también una de las más gratificantes. Aunque puede dar la vuelta en cualquier momento, hay muchas recompensas por llegar a los restos del faro de Punta Gorda. La arena suave y el omnipresente viento del noroeste pueden hacer que esta caminata sea una caminata, aunque los comienzos tempranos ayudan a disminuir el último desafío. Las colinas se elevan abruptamente desde la playa y ayudan a crear el carácter que hace de Lost Coast una de las mejores experiencias para caminar en el condado de Humboldt. Si tiene un vehículo con tracción en las 4 ruedas y alto espacio libre, puede acortar la caminata considerablemente conduciendo hasta el comienzo del sendero Windy Point.

GETTING THERE: Take US 101 south for 14.2 miles. Take the Fernbridge/ Ferndale exit, turning right onto Singley Road (0.2 mile). In one-half mile turn right on CA Route 211, crossing over the Eel River on Fernbridge. In 4.8 miles (which takes you to the south end of Main Street, turn right on Bluff Street/Ocean Avenue. In less than 0.1 mile turn left on Wildcat Avenue and follow it as it winds over several broad ridges to the coast and eventually east and inland to the small hamlet of Petrolia, 28.2 bumpy miles from Ferndale. Continue through Petrolia for 1.4 miles to Lighthouse Road, just after crossing the Mattole River. Turn right on Lighthouse Road and continue 4.8 miles to its termination in the King Range/ Mattole River Estuary Trailhead and Campground. There is parking at the trailhead. Approximate driving time, 2 hours.

THE ROUTE: From the parking lot, head south on an old jeep road that follows the base of the hills that rise steeply from the coastline. The jeep road offers brief respite from the soft sand of this broad beach. The beach narrows and becomes rockier and safe passage depends on the tides (1.9 – 2.4). Windy Point Road, an old ranch

CÓMO LLEGAR: Tome la US 101 sur durante 14,2 millas. Tome la salida Fernbridge/Ferndale y gire a la derecha en Singley Road (0,2 millas). A media milla, gire a la derecha en CA Route 211, cruzando el río Eel en Fernbridge. En 4.8 millas (lo que lo lleva al extremo sur de Main Street, gire a la derecha en Bluff Street/Ocean Avenue. En menos de 0.1 milla, gire a la izquierda en Wildcat Avenue y síganla mientras serpentea sobre varias crestas anchas hasta la costa y finalmente hacia el este y tierra adentro hasta la pequeña aldea de Petrolia, a 28,2 millas llenas de baches de Ferndale. Continúe por Petrolia durante 1,4 millas hasta Lighthouse Road, justo después de cruzar el río Mattole. Gire a la derecha en Lighthouse Road y continúe 4,8 millas hasta el final en King Range/ Mattole River Estuary Trailhead and Campground. Hay estacionamiento en el comienzo del sendero. Tiempo aproximado de conducción, 2 horas.

LA RUTA: Desde el estacionamiento, diríjase hacia el sur por un antiguo camino para jeeps que sigue la base de las colinas que se elevan abruptamente desde la costa. La carretera en jeep ofrece un breve respiro de la suave arena de esta amplia playa. La playa se estrecha y se vuelve más rocosa y el

track, climbs steeply up the bluff (2.5), just before rounding Punta Gorda. The route passes two cabins before fording Fourmile Creek (2.7). Cooskie Creek Trail climbs steeply to the left (2.9) and soon (3.2) you reach the concrete ruins of the old lighthouse (1912 – 1950). Be careful around the old lighthouse. For a number of years, a colony of elephant seals have inhabited the beach below the lighthouse. Keep your distance to admire these amazing creatures. Retrace your steps for the return.

Extras. You can significantly shorten this walk if you have a vehicle that can navigate the 4-wheel drive road that descends 1.6 miles from Prosper Ridge Road to the view-filled and aptly named Windy Ridge parking area (gate is sometimes closed...call beforehand). From here a trail follows the old road steeply to the beach and joins the trail to the lighthouse just 1.3 miles (one-way) from the parking area. Remember you have to make the climb back up!

A second option, created by the volunteer efforts of a community group ,departs from an unmarked trailhead into the Mill Creek drainage about 2.0 miles west on Lighthouse Road. The route climbs an old logging road topping a ridge and descending to a bridged crossing of Mill Creek. There is adequate signage on a loop trail for the more intrepid family (1.5 miles). The trail has some steep sections and uneven footing and is part of a much more extensive trail system built and maintained by locals.

paso seguro depende de las mareas (1,9 – 2,4). Windy Point Road, una antigua pista de rancho, sube abruptamente por el acantilado (2.5), justo antes de rodear Punta Gorda. La ruta pasa por dos cabañas antes de vadear Fourmile Creek (2,7). Cooskie Creek Trail sube abruptamente hacia la izquierda (2,9) y pronto (3,2) llega a las ruinas de hormigón del antiguo faro (1912 - 1950). Tenga cuidado alrededor del viejo faro. Durante varios años, una colonia de elefantes marinos ha habitado la playa debajo del faro. Mantén la distancia para admirar a estas increíbles criaturas. Vuelve a trazar tus pasos para el regreso.

Extras. Puede acortar significativamente esta caminata si tiene un vehículo que puede navegar por la carretera con tracción en las 4 ruedas que desciende 1.6 millas desde Prosper Ridge Road hasta el área de estacionamiento de Windy Ridge, archivada y acertadamente llamada (la puerta a veces está cerrada... llame de antemano). Desde aquí, un sendero sigue el antiguo camino empinado hasta la playa y se une al sendero hasta el faro a solo 1.3 millas (sentido único) del área de estacionamiento. ¡Recuerda que tienes que volver a subir!

Una segunda opción, creada por los esfuerzos voluntarios de un grupo comunitario, parte del comienzo de un sendero sin marcar hacia el drenaje de Mill Creek aproximadamente 2.0 millas al oeste en Lighthouse Road. La ruta sube por un antiguo camino forestal que supera una cresta y desciende hasta un cruce con puente de Mill Creek. Hay señalización adecuada en un sendero circular para la familia más intrépida (1,5 millas). El sendero tiene algunas secciones empinadas y una base irregular y es parte de un sistema de senderos mucho más extenso construido y mantenido por los lugareños.

LOST COAST SCAVENGER HUNT

BÚSQUEDA DEL TESORO EN LA COSTA PERDIDA

ELEPHANT SEALS

Although they were once hunted almost to extinction for their oil, elephant seals numbers have rebounded. These massive creatures get their name from the adult male's (bulls) large proboscis that bears some resemblance to an elephant's trunk. These bulls can weigh up to 5,500 pounds dwarfing the much smaller females. Alpha males surround themselves with harems which they will aggressively protect. They can move amazingly quickly so keep your distance!

Aunque una vez fueron cazados casi hasta la extinción por su aceite, el número de elefantes marinos se ha recuperado. Estas criaturas masivas obtienen su nombre de la gran probóscide del macho adulto (toro) que tiene cierto parecido con la trompa de un elefante. Estos toros pueden pesar hasta 5500 libras eclipsando a las hembras mucho más pequeñas. Los machos alfa se rodean de harenes a los que protegerán agresivamente. Pueden moverse increíblemente rápido, ¡así que mantén la distancia!

TIDES

Most simply put, tides reflect the gravitational pull of the moon and, to a lesser degree, the sun on the oceans of the Earth. Because of the rotation of the Earth, there are two high and two low tides each day. The greatest extremes in the tides correspond with full and new moons. Tides are predictable and tide tables are widely available on line. Understand that the timing of tides at the mouth of the Mattole will not be quite the same as along the Eureka waterfront or Trinidad harbor.

En pocas palabras, las mareas reflejan la atracción gravitatoria de la luna y, en menor grado, del sol sobre los océanos de la Tierra. Debido a la rotación de la Tierra, hay dos mareas altas y dos bajas cada día. Los mayores extremos en las mareas corresponden a lunas llenas y nuevas. Las mareas son predecibles y las tablas de mareas están ampliamente disponibles en línea. Comprenda que el momento de las mareas en la desembocadura del Mattole no será el mismo que a lo largo de la costa de Eureka o el puerto de Trinidad.

APRIL 25, 1992 EARTHQUAKE

This walk lies near the south end of a 9-mile stretch of shoreline lying between Cape Mendocino and Punta Gorda that experienced as much as a 3-foot, 3-inch uplift during this earthquake. This resulted in the death of intertidal creatures exposed by this sudden uplift. Look carefully south from the Mattole Road before you descend toward Singley Creek to see a series of marine terraces that are evidence of previous long ago uplift events.

Este paseo se encuentra cerca del extremo sur de un tramo de costa de 9 millas que se encuentra entre Cabo Mendocino y Punta Gorda que experimentó un levantamiento de hasta 3 pies y 3 pulgadas durante este terremoto. Esto resultó en la muerte de las criaturas intermareales expuestas por este repentino levantamiento. Mire cuidadosamente hacia el sur desde Mattole Road antes de descender hacia Singley Creek para ver una serie de terrazas marinas que son evidencia de eventos de levantamiento anteriores de hace mucho tiempo.

OIL WELLS

It was 1859 when the *Humboldt Times* mentioned that seeping "rock oil" had been located at Bear River and five miles south of Cape Mendocino. Six years later, the Union Mattole Oil Company shipped six containers of oil to San Francisco from the first productive well in California. This well was several miles east of the current location of Petrolia. But oil was never produced in large enough quantities to be a success even though companies purchased mineral rights and drilled wells throughout the region.

Fue en 1859 cuando el *Humboldt Times* mencionó que se había localizado "petróleo de roca" en Bear River y cinco millas al sur de Cape Mendocino. Seis años más tarde, Union Mattole Oil Company envió seis contenedores de petróleo a San Francisco desde el primer pozo productivo en California. Este pozo estaba varias millas al este de la ubicación actual de Petrolia. Pero el petróleo nunca se produjo en cantidades lo suficientemente grandes como para ser un éxito a pesar de que las empresas compraron derechos mineros y perforaron pozos en toda la región.

KING RANGE NATIONAL CONSERVATION AREA

Commonly referred to as the Lost Coast, this 68,000-acre blend of protected wilderness and managed land was established as the nation's first National Conservation Area in 1970. Camping, hiking, backpacking, mountain biking, surfing, beach combing, fishing, and hunting attract visitors to this remote but spectacular part of Humboldt County. The 25-mile walk between the mouth of the Mattole and Black Sands Beach is world class but wait until your kids are older to take this on.

Comúnmente conocida como la Costa Perdida, esta combinación de 68,000 acres de áreas silvestres protegidas y tierras administradas se estableció como la primera Área de Conservación Nacional de la nación en 1970. Esta parte remota pero espctacular del condado de Humboldt atrae a acampar, caminar, hacer mochileros, andar en bicicleta de montaña, surfear, peinar la playa, pescar y cazar. La caminata de 25 millas entre la desembocadura de Mattole y Black Sands Beach es de clase mundial, pero espere hasta que sus hijos sean mayores para comenzar.

19

VISIT A FALLEN GIANT

ECHA UN VISTAZO A UN GIGANTE CAÍDO

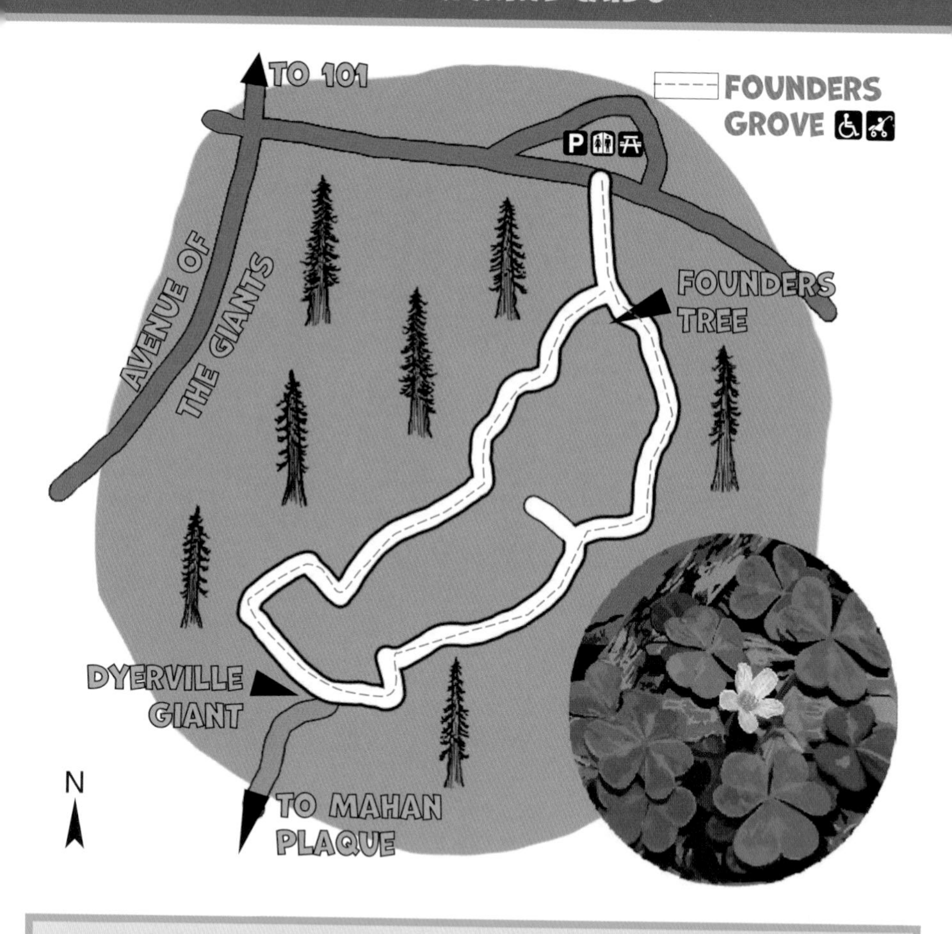

FOUNDERS GROVE

Length (Longitud): 0.6 miles

Difficulty (Dificultad): Easy

Land management (Gestion de tierras): Humboldt Redwoods State Park, (707) 946-2409

Fee (Tarifa): None

Access constraints (Restricciones de acceso): None

Dogs (Perros): No

Bicycles (Bicicletas): No

Strollers (Cochecitos): Yes (hard-packed surface built to State Park ADA standards)

Bathroom (Baño): At trailhead

Public Transport (Transporte público): No

YOUR ADVENTURE: Although its majesty is slowly diminishing, the downed Dyerville Giant redwood still remains the most stunning attraction of this walk. Of course, the route also includes the impressive Founders Tree and a number of other old growth giants. The Founders Grove is well-suited for families with young children or older members with limited mobility. The Founders Grove also features a self-guided nature trail.

GETTING THERE: Take US 101 south 42.3 miles to the South Fork/ Honeydew exit. Take a sharp left onto the Bull Creek Flats Road and an almost immediate right onto the Avenue of the Giants as it crosses the South Fork of the Eel River. In 0.2 mile turn left onto the Dyerville Loop Road. The parking lot is on the left in about 0.1 mile. Approximate driving time, 50 minutes.

SU AVENTURA: Aunque su majestuosidad está disminuyendo lentamente, la secuoya gigante de Dyerville derribada sigue siendo la atracción más impresionante de esta caminata. Por supuesto, la ruta también incluye el impresionante Árbol de los Fundadores y una serie de otros gigantes antiguos. Founders Grove es ideal para familias con niños pequeños o miembros mayores con movilidad limitada. Founders Grove también cuenta con un sendero natural autoguiado.

CÓMO LLEGAR: Tome la US 101 sur 42.3 millas hasta la salida South Fork/Honeydew. Gire bruscamente a la izquierda en Bull Creek Flats Road y casi inmediatamente a la derecha en Avenue of the Giants cuando cruce el South Fork del río Eel. En 0.2 millas, gire a la izquierda en Dyerville Loop Road. El estacionamiento está a la izquierda en aproximadamente 0.1 millas. Tiempo aproximado de conducción, 50 minutos.

THE ROUTE: The loop route is well signed and it would be virtually impossible to get more than temporarily lost. The Dyerville Giant lies at the south end of the Founders Grove trail. This massive tree fell in March, 1991 shattering its top on a redwood that still bears the scar from the impact. It may have been in the 370-foot range making it among the tallest in the world. To see it lying horizontal gives one a different perspective on just how massive these great trees are.

LA RUTA: La ruta circular está bien señalizada y sería prácticamente imposible perderse más que temporalmente. El Gigante de Dyerville se encuentra en el extremo sur del sendero Founders Grove. Este enorme árbol cayó en marzo de 1991 y destrozó su copa sobre una secuoya que aún conserva la cicatriz del impacto. Puede haber estado en el rango de 370 pies, lo que lo convierte en uno de los más altos del mundo. Verlo horizontal le da a uno una perspectiva diferente de cuán grandes son estos árboles gigantes.

SAVING THE REDWOODS

Jerry and Gisela Rohde, in *Best Short Hikes in Redwood National and State Parks*, recount a much fuller story of Laura Perrott Mahan and James Mahan and their dramatic efforts to save the redwoods in the area of Founders Grove in the fall, 1924. The Pacific Lumber Company, which owned this land at the confluence of the two forks of the Eel River, began to secretly cut a railroad right-of-way with the intent of extending a spur line across the South Fork of the Eel and up into the rich redwood forests lining Bull Creek. Word reached Laura who journeyed down from Eureka with other female environmentalists to investigate. When they discovered that logging was underway, Laura and the women stopped active logging by standing between the machinery and the redwoods while James Mahan mobilized local media and filed an injunction. The outcry was swift and within a few months a Save-the-Redwoods plan was in place. Although it took six years to raise sufficient funds, the result was that in 1931 the Dyerville and Bull Creek Flats were added to the Park's initial 2,200 acres of scattered redwood groves. Critical to the funding were a pair of million dollar donations from John D. Rockefeller and a state bond act passed in 1928 that provided matching funds for the acquisition.

SALVANDO LAS SECOYAS

Jerry y Gisela Rohde, en *Best Short Hikes in Redwood National and State Parks*, relatan una historia mucho más completa de Laura Perrott Mahan y James Mahan y sus dramáticos esfuerzos para salvar las secoyas en el área de Founders Grove en el otoño de 1924. El Pacífico Lumber Company, propietaria de esta tierra en la confluencia de las dos bifurcaciones del río Eel, comenzó a cortar en secreto un derecho de paso de ferrocarril con la intención de extender una línea de derivación a través de la bifurcación sur de la anguila y hacia arriba en el rico bosques de secuoyas que bordean Bull Creek. La noticia llegó a Laura, quien viajó desde Eureka con otras ambientalistas para investigar. Cuando descubrieron que la tala estaba en marcha, Laura y las mujeres detuvieron la tala activa interponiéndose entre la maquinaria y las secuoyas mientras James Mahan movilizaba a los medios de comunicación locales y presentaba una orden judicial. La protesta fue rápida y en pocos meses se puso en marcha un plan Save-the-Redwoods. Aunque se necesitaron seis años para recaudar fondos suficientes, el resultado fue que en 1931 Dyerville y Bull Creek Flats se agregaron a los 2,200 acres iniciales de arboledas de secuoyas dispersas del parque. Para la financiación fueron fundamentales un par de donaciones de un millón de dólares de John D. Rockefeller y una ley de bonos estatales aprobada en 1928 que proporcionó fondos equivalentes para la adquisición.

MORE TO EXPLORE: ROCKEFELLER GROVE

The Rockefeller Grove, a similar grove of old-growth giants, is just 1.3 miles west on Bull Creek Flats Road. The entrance to the parking lot is not well marked so watch for the access road dropping steeply to the left. The hard-packed trail is a 0.6 mile loop. Departing from the east side of the parking area is a trail that leads to the broad bed of the South Fork of the Eel River. During the rainy winter months, this can be a raging torrent unimaginable during the dry summer and fall months when it shrinks to a shallow trickle. The summer footbridge crosses to the California Federation of Women's Clubs Grove and Day Use Area and its iconic "Four Fireplaces" on the other side (0.5). In addition, this trail leads to popular swimming holes downriver.

MÁS PARA EXPLORAR: ROCKEFELLER GROVE

Rockefeller Grove, una arboleda similar de gigantes antiguos, está a sólo 1.3 millas al oeste en Bull Creek Flats Road. La entrada al estacionamiento no está bien señalizada, así que tenga cuidado con el camino de acceso que cae abruptamente hacia la izquierda. El sendero compacto es un circuito de 0.6 millas. Partiendo del lado este del área de estacionamiento hay un sendero que conduce al amplio lecho del South Fork del río Eel. Durante los meses lluviosos de invierno, esto puede ser un torrente embravecido inimaginable durante los meses secos de verano y otoño cuando se reduce a un goteo poco profundo. La pasarela de verano cruza hacia la arboleda y el área de uso diurno de la Federación de Clubes de Mujeres de California y sus icónicas "Cuatro chimeneas" en el otro lado (0.5). Además, este sendero conduce río abajo a pozas populares para nadar.

KIDS LEAD THE WALK

Allow your child to lead this walk! This one is neither long nor complicated and thus a good place to let them shape the journey.

How: Before you begin, you may want to talk about staying on the trail but know that this is a forgiving landscape.

What: They set the pace and focus on features of greatest interest to them.

Why: There is much to be said for letting kids be the navigators (and often a good lesson for us parents who are accustomed to being in control).

LOS NIÑOS LLEVAN LA CAMINATA

¡Permita que su hijo dirija esta caminata! Este no es ni largo ni complicado y, por lo tanto, es un buen lugar para dejar que ellos den forma al viaje.

Cómo: antes de comenzar, es posible que desee hablar sobre permanecer en el camino, pero sepa que este es un paisaje indulgente.

Qué: marcan el ritmo y se centran en las funciones que más les interesan.

Por qué: hay mucho que decir acerca de dejar que los niños sean los navegadores (y, a menudo, una buena lección para nosotros, los padres que estamos acostumbrados a tener el control).

20

ACORNS, BUCKEYES, AND COWS

BELLOTAS, BUCKEYES, Y GANADO

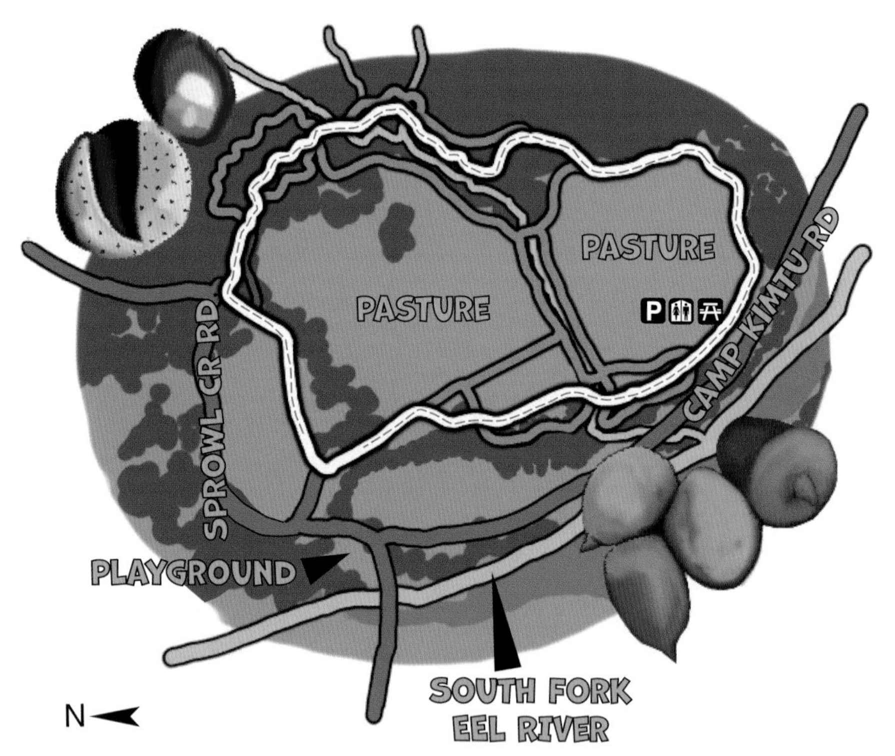

SOUTHERN HUMBOLDT COMMUNITY PARK

Length (Longitud): 2.4 miles with options for more or less

Difficulty (Dificultad): Moderate

Land management (Gestion de tierras): Southern Humboldt Community Park; 707-923-2928; www.sohumpark.org

Fee (Tarifa): None

Access constraints (Restricciones de acceso): Sunrise to sunset

Dogs (Perros): Leashed

Bicycles (Bicicletas): Designated trails

Strollers (Cochecitos): No

Bathroom (Baño): Kimtu visitor parking area and near the barn

Public Transport (Transporte público): No

YOUR ADVENTURE: This 430-acre parcel, once part of the immense Tooby Ranch, of fertile bottomland adjacent to the South Fork of the Eel River was formally established in 2002. In addition to a 3.5 mile network of multi-use trails, the Community Park includes a riverside playground, a disc golf course, skate ramp, picnic areas, and a community farm (96 acres are reserved for agriculture). Much of the route is shaded, an advantage on hot summer days. But there are open options that allow walkers to enjoy warming winter sun.

SU AVENTURA: Esta parcela de 430 acres, una vez parte del inmenso Tooby Ranch, de tierra fértil adyacente a South Fork del río Eel, se estableció formalmente en 2002. Además de una red de 3.5 millas de senderos de usos múltiples, el Parque Comunitario incluye un área de juegos junto al río, un campo de golf de disco, rampa para patinar, áreas de picnic y una granja comunitaria (96 acres están reservados para la agricultura). Gran parte de la ruta está sombreada, una ventaja en los calurosos días de verano. Pero hay opciones abiertas que permiten a los caminantes disfrutar del cálido sol invernal.

GETTING THERE: Drive south on US 101 for 67.0 miles taking the Sprowl Creek exit to Garberville. Turn right at the intersection with Sprowl Creek Road and descend toward the South Fork of the Eel River. In 0.9 mile bypass the first entrance to the Southern Humboldt Community Park (1144 Sprowl Creek Rd). Continue on Sprowl Creek Road for 0.1 mile more to the intersection with Camp Kimtu Road. [Note the small Tooby Playground on your right.] Turn left following Camp Kimtu Road for 0.7 mile to the Kimtu Visitor parking area. Approximate driving time, 1 hour, 10 minutes.

THE ROUTE: The area near the Kimtu Visitor parking area has several picnic tables and the skate ramp. Take the perimeter trail to the right as it follows the western park boundary before bending east (0.5). The perimeter trail splits offering several options with strands that stay in the trees and another that hugs the edge of the meadow. Several new mountain bike trails are planned for the southern hillside of the park. The various options again merge (1.4) at the Pepperwood Meadow (site of a performance stage). From the southwest side of the meadow the route continues north toward the caretaker's residence and the Park office (1.6). Turn left past the barn. Soon there are again several braids of trail, some staying in the fields and some meandering through the woods converging in order to cross a seasonal stream on a small footbridge (2.1) and return to the Kimtu Visitor parking area (2.4).

CÓMO LLEGAR: Conduzca hacia el sur por la US 101 durante 67.0 millas y tome la salida de Sprowl Creek hacia Garberville. Gire a la derecha en la intersección con Sprowl Creek Road y descienda hacia South Fork del río Eel. En 0.9 millas pase por alto la primera entrada al Parque Comunitario Southern Humboldt (1144 Sprowl Creek Rd). Continúe por Sprowl Creek Road durante 0,1 millas más hasta la intersección con Camp Kimtu Road. [Observe el pequeño Tooby Playground a su derecha.] Gire a la izquierda siguiendo Camp Kimtu Road durante 0.7 millas hasta el área de estacionamiento para visitantes de Kimtu. Tiempo aproximado de conducción, 1 hora, 10 minutos.

LA RUTA: El área cerca del área de estacionamiento para visitantes de Kimtu tiene varias mesas de picnic y la rampa de patinaje. Tome el sendero perimetral a la derecha que sigue el límite oeste del parque antes de doblar hacia el este (0.5). El sendero perimetral se bifurca ofreciendo varias opciones con tramos que se quedan en los árboles y otro que abraza el borde de la pradera. Se planean varios senderos nuevos para bicicletas de montaña en la ladera sur del parque. Las diversas opciones se fusionan nuevamente (1.4) en Pepperwood Meadow (sitio de un escenario de actuación). Desde el lado suroeste de la pradera, la ruta continúa hacia el norte hacia la residencia del cuidador y la oficina del Parque (1.6). Gire a la izquierda pasando el granero. Pronto hay de nuevo varias trenzas de senderos, algunos se quedan en los campos y otros serpentean a través del bosque convergiendo para cruzar un arroyo estacional en un pequeño puente peatonal (2.1) y regresar al área de estacionamiento para visitantes de Kimtu (2.4).

HISTORY OF THE PARK

When E. N. Tooby died in 1999, his 13,600+ acre ranch came up for sale. The ranch included fertile meadowland along the South Fork of the Eel River where Mr. Tooby had lived and grazed cattle. Locals, concerned that the new owner would subdivide and develop the property, embarked upon a campaign to raise $1,125,000 to purchase the 430 acres that would become the Community Park. Their commitment made possible the space that we enjoy today.

HISTORIA DEL PARQUE

Cuando E. N. Tooby murió en 1999, su rancho de más de 13,600 acres salió a la venta. El rancho incluía praderas fértiles a lo largo de South Fork del río Eel, donde el Sr. Tooby había vivido y pastado ganado. Los locales, preocupados de que el nuevo dueño subdividiera y desarrollara la propiedad, se embarcaron en una campaña para recaudar $1,125,000 para comprar los 430 acres que se convertirían en el Parque Comunitario. Su compromiso hizo posible el espacio que hoy disfrutamos.

CALIFORNIA BUCKEYE

By autumn, the branches of these small trees, common in the Park, bend with the weight of what look like leathery pears. When these husks open, large bronze nuts, or buckeyes, are revealed. Indigenous people leach out the toxins of these poisonous seedpods by boiling the nuts and then grinding them into a meal similar to that made from acorns. Others use the toxic buckeyes to their advantage to stupefy fish in small streams.

En otoño, las ramas de estos pequeños árboles, comunes en el Parque, se doblan con el peso de lo que parecen peras coriáceas. Cuando estas cáscaras se abren, se revelan grandes nueces de bronce o castaños de indias. Unas personas indígenas filtran las toxinas de estas vainas venenosas hirviendo las nueces y luego moliéndolas en una comida similar a la que se hace con las bellotas. Otros usan los castaños de indias tóxicos a su favor para aturdir a los peces en pequeños arroyos.

PEPPERWOOD

This is a tree of many names including myrtle, bay laurel, bay, spicebush, cinnamon bush, peppermint tree, and more. Tear one of these leaves and smell the rich, overpowering, and distinctive 'camphor' scent. A close relative from Europe's Mediterranean region provides the dried bay leaves that are popular in cooking. Indigenous people store acorns with pepperwood leaves to keep insects away.

Este es un árbol de muchos nombres que incluyen mirto, laurel, arbusto de especias, arbusto de canela, árbol de menta y más. Arranca una de estas hojas y huele el aroma rico, abrumador y distintivo de "alcanfor". Un pariente cercano de la región mediterránea de Europa proporciona las hojas de laurel secas que son populares en la cocina. Unas personas indígenas almacenan bellotas con hojas de pimentero para mantener alejados a los insectos.

BARN OWL

The Community Park has a resident pair of barn owls, one of over 130 bird species that can be seen in the Park. You probably won't see the owls because they are nocturnal, coming to life shortly before dusk. Like most owls, they have amazing hearing and do not have to see in order to hunt. They are skilled at detecting a sound's position and distance.

El Parque Comunitario tiene un par de lechuzas residentes, una de las más de 130 especies de aves que se pueden ver en el Parque. Probablemente no verás a los búhos porque son nocturnos y se despiertan poco antes del anochecer. Como la mayoría de los búhos, tienen un oído increíble y no necesitan ver para cazar. Son hábiles para detectar la posición y la distancia de un sonido.

FLASH GRAZING

If you come at just the right time, there may be cattle in the meadow. They don't stay long because the rancher managing this pasture has embraced flash grazing, an idea adapted from the plains of Africa where animals focus on a small area for just a couple of days before moving on. During this time the cows eat their fill and leave behind natural fertilizer, tilled soil, and scattered seeds. This type of grazing has improved the productivity of the land.

Si vienes en el momento justo, puede que haya ganado en el prado. No se quedan mucho tiempo porque el ranchero que maneja este pasto ha adoptado el pastoreo rápido, una idea adaptada de las llanuras de África donde los animales se enfocan en un área pequeña por solo un par de días antes de continuar. Durante este tiempo, las vacas comen hasta saciarse y dejan fertilizante natural, tierra cultivada y semillas esparcidas. Este tipo de pastoreo ha mejorado la productividad de la tierra.

21

EXPLORING A SHELTERED COVE

EXPLORANDO UNA CALA PROTEGIDA

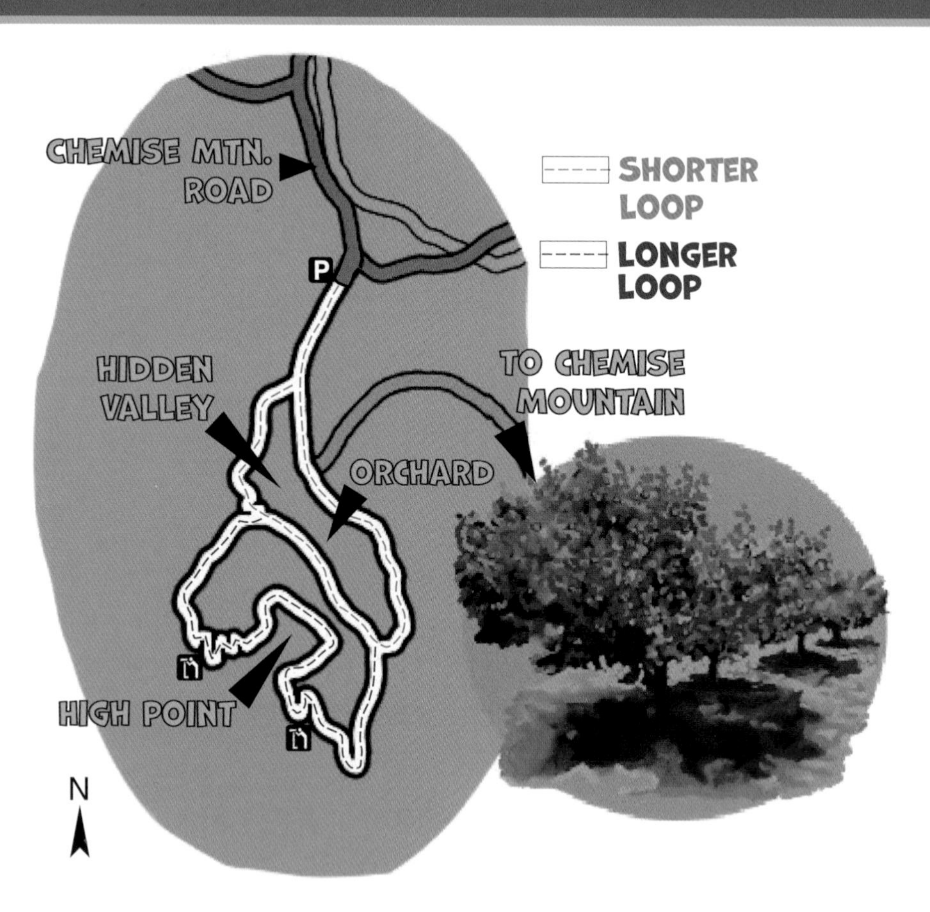

HIDDEN VALLEY

Length (Longitud): 2.1 mile loop

Difficulty (Dificultad): Moderate

Land management (Gestion de tierras): Bureau of Land Management, (707) 986-5400

Fee (Tarifa): None

Access constraints (Restricciones de acceso): None

Dogs (Perros): Yes

Bicycles (Bicicletas): No

Strollers (Cochecitos): No

Bathroom (Baño): No

Public Transport (Transporte público): No

YOUR ADVENTURE: This trail truly explores a hidden valley, the site of the homestead of the McKee family. The route meanders through grasslands that are a popular grazing area for Roosevelt elk (which were reintroduced here in 1983) and McKee's apple orchard. There are a couple of views out over the Pacific along the way.

GETTING THERE: Drive south on US 101 for 64.0 miles taking the Redwood Drive exit. Continue south on Redwood Drive for 2.0 miles turning right on the Briceland Road toward Shelter Cove. In about 16 miles turn left on Chemise Mountain Road for just 0.2 mile. On the right is an unsigned and unpaved road that leads to a small parking area and trailhead. Approximate travel time, 2 hours.

SU AVENTURA: Este sendero realmente explora un valle escondido, el sitio de la granja de la familia McKee. La ruta serpentea a través de pastizales que son un área de pastoreo popular para los alces de Roosevelt (que se reintrodujeron aquí en 1983) y el huerto de manzanos de McKee. Hay un par de vistas sobre el Pacífico en el camino.

CÓMO LLEGAR: Conduzca hacia el sur por la US 101 durante 64.0 millas y tome la salida de Redwood Drive. Continúe hacia el sur por Redwood Drive durante 2.0 millas y gire a la derecha en Briceland Road hacia Shelter Cove. En aproximadamente 16 millas, gire a la izquierda en Chemise Mountain Road por solo 0.2 millas. A la derecha hay un camino sin señalizar ni pavimentar que conduce a una pequeña área de estacionamiento y al comienzo de un sendero. Tiempo aproximado de viaje, 2 horas.

THE ROUTE: The trail quickly reaches an intersection (0.1). Veer left (you will return on the trail entering from the right) gradually climbing to an unsigned trail junction (0.2). The left option continues to the top of Chemise Mountain (2,598') 3.5 miles away. You take the right fork that descends and follows the edge of an expansive meadow and old apple orchard eventually reaching a T-junction (0.6). Right makes a shorter return to the trailhead (1.2). Left takes you to a view before climbing to a hill top and descending past another view and circling back around to another trail intersection (1.7). Turn left and return to the trailhead (2.1).

LA RUTA: El sendero llega rápidamente a una intersección (0.1). Gire a la izquierda (regresará por el sendero que ingresa por la derecha) subiendo gradualmente hasta un cruce de senderos sin señalizar (0.2). La opción de la izquierda continúa hasta la cima de Chemise Mountain (2,598 ') a 3.5 millas de distancia. Se toma la bifurcación de la derecha que desciende y sigue el borde de un extenso prado y un antiguo huerto de manzanos, llegando finalmente a un cruce en T (0,6). La derecha hace un regreso más corto al comienzo del sendero (1.2). La izquierda lo lleva a una vista antes de subir a la cima de una colina y descender más allá de otra vista y dar la vuelta a otra intersección de senderos (1.7). Gira a la izquierda y vuelve al comienzo del sendero (2.1).

MORE TO EXPLORE: SHELTER COVE

Planned in 1965 for a population of more than 10,000, Shelter Cove was an ambitious project. However, 15 years later, less than 100 lots had been built upon and most of the 43 miles of streets were empty. When voters approved the Coastal Initiative in 1972, Shelter Cove, Sea Ranch (Mendocino County), and Pacific Shores (north of Crescent City) were cited as evidence of need for a coastal act. Among the issues with the Shelter Cove development was that no provision was made for public ocean access. Ultimately the state bought out about 30 property owners yet to build on their land. Because of that Mal Coombs Park, BLM's Seal Rock and Abalone Point enrich a walk along Lower Pacific Drive (0.9 mile one-way). Having gradually overcome its shady beginnings, Shelter Cove has experienced steady recent growth and a new vitality. The 2020 census documented 803 permanent residents. From Shelter Cove you can also visit Black Sands beach, the south end of the Lost Coast (hike 18).

MÁS PARA EXPLORAR: SHELTER COVE

Planificado en 1965 para una población de más de 10.000 habitantes, Shelter Cove fue un proyecto ambicioso. Sin embargo, 15 años después, se habían construido menos de 100 lotes y la mayoría de las 43 millas de calles estaban vacías. Cuando los votantes aprobaron la Iniciativa Costera en 1972, Shelter Cove, Sea Ranch (Condado de Mendocino) y Pacific Shores (al norte de Crescent City) fueron citados como evidencia de la necesidad de una ley costera. Entre los problemas con el desarrollo de Shelter Cove estaba que no se hizo ninguna provisión para el acceso público al océano. En última instancia, el estado compró alrededor de 30 propietarios que aún no habían construido en sus tierras. Debido a que Mal Coombs Park, Seal Rock y Abalone Point de BLM enriquecen un paseo por Lower Pacific Drive (0.9 millas de ida). Habiendo superado gradualmente sus sombríos comienzos, Shelter Cove ha experimentado un crecimiento constante recientemente y una nueva vitalidad. El censo de 2020 documentó 803 residentes permanentes. Desde Shelter Cove también se puede visitar la playa de Black Sands, el extremo sur de la Lost Coast (caminata 18).

HIDDEN VALLEY SCAVENGER HUNT

BÚSQUEDA DEL TESORO EN EL VALLE ESCONDIDO

WOODRAT

You probably won't see this rodent because they are nocturnal. But, you may notice their nest among the trees. A jumble of sticks protects the den, accompanied often by an accumulation of food and debris known as a 'midden' that may include bones, shiny metal objects and other items discarded by humans. For this reason, woodrats are often known as 'pack rats'. These middens may remain intact for years and the nest may be used for 20 years or more. There has long been a woodrat nest near the first viewpoint.

Probablemente no verás a este roedor porque son nocturnos. Pero, puedes notar su nido entre los árboles. Un revoltijo de palos protege la guarida, acompañado a menudo por una acumulación de comida y escombros conocida como "basurero" que puede incluir huesos, objetos metálicos brillantes y otros elementos desechados por los humanos. Por esta razón, las ratas de bosque a menudo se conocen como "ratas de carga". Estos basureros pueden permanecer intactos durante años y el nido puede utilizarse durante 20 años o más. Durante mucho tiempo ha habido un nido de ratas cerca del primer mirador.

APPLE ORCHARD

On the east side of Hidden Valley is an apple orchard planted by Frank McKee, who homesteaded this area in the 1870s. In those days, apple seedlings were usually mail order purchases. However, not far away in the community of Ettersburg, Albert Etter later achieved some fame for his hybridization of strawberries and apples. The most important and enduring creation was the Waltana but he patented other varieties of apples with names like Pink Pearl, Wickson Crab, Jonwin, and Etter's Gold.

En el lado este de Hidden Valley hay un huerto de manzanas plantado por Frank McKee, quien ocupó esta área en la década de 1870. En aquellos días, las plántulas de manzana generalmente se compraban por correo. Sin embargo, no muy lejos en la comunidad de Ettersburg, Albert Etter alcanzó más tarde cierta fama por su hibridación de fresas y manzanas. La creación más importante y duradera fue la Waltana, pero patentó otras variedades de manzanas con nombres como Pink Pearl, Wickson Crab, Jonwin y Etter's Gold.

CONIFER ENCROACHMENT

The meadows of Hidden Valley, like open lands throughout much of Humboldt County, are being overgrown by conifers and shrubs. Conifers are cone-bearing trees that do quite well in the absence of fire—particularly Douglas-fir. In the past, Native Americans used systematic burning to keep meadows and oak woodlands healthy. This practice is being implemented once again, led by Tribal Fire Practitioners, who are teaching others the importance of this practice. Years of fire suppression has resulted in hotter, more destructive fires in recent years but controlled burning is aiding the recovery of meadow and oak woodland plant communities by removing conifers and other shrubs that have grown thick over the past century.

Las praderas de Hidden Valley, como las tierras abiertas en gran parte del condado de Humboldt, están cubiertas de coníferas y arbustos. Las coníferas son árboles que producen piñas y se desarrollan bastante bien en ausencia de fuego, en particular el abeto de Douglas. En el pasado, los nativos americanos utilizaban la quema sistemática para mantener sanos los prados y los bosques de robles. Esta práctica se está implementando una vez más, dirigida por Tribal Fire Practitioners, quienes están enseñando a otros la importancia de esta práctica. Años de supresión de incendios han resultado en incendios más intensos y destructivos en los últimos años, pero la quema controlada está ayudando a la recuperación de las comunidades de plantas de praderas y bosques de robles mediante la eliminación de coníferas y otros arbustos que han crecido durante el último siglo.

A CONTROLLED BURN

EASTERN
HUMBOLDT

ANCESTRAL LANDS OF THE
KARUK, HUPA,
TSNUNGWE, CHIMARIKO,
WINTU, LASSIK,
AND WAILAKI

Humboldt County is larger than the states of Rhode Island and Delaware combined. Well over one quarter of the 3,570 square miles of our land is under state or federal control. Six Rivers National Forest, with its forests, mountains, and rivers occupies much of the eastern boundary of Humboldt County. Yurok and Hoopa tribal lands add 127,512 acres, or 5.6 percent of the total county land area. We are blessed by living in a place with incredible natural beauty.

Two of the walks in this section are in campgrounds managed by Six Rivers National Forest, **East Fork Willow Creek** just off SR 299 and **Fish Lake**, in the northeastern corner of the county. These tend to be limited to summer access. The walk along Pine Ridge in the **Lacks Creek** Management area is the highest walk in the book at well over 3,000 feet. With a pleasant blend of oak woodlands, prairies, and conifer forest, this is a delightful spring, summer, and fall walk.

The fourth walk is in **Blue Lake**, with options including the paved, half-mile long segment of the Annie & Mary Trail, the levee walk along the Mad River, and a loop around the Industrial Park. But good luck finding a lake!

Other opportunities abound including roads leading to Horse Mountain, Brush Mountain, high county east of Hoopa, or the Lassics. Dispersed camping is available at Lacks Creek high above Redwood Creek. Amazing drives are possible along the old stage routes to places like Bridgeville, Blocksburg, and Fort Seward. These are bigger adventures and require special planning and preparation.

El condado de Humboldt es más grande que los estados de Rhode Island y Delaware combinados. Mucho más de una cuarta parte de las 3,570 millas cuadradas de nuestra tierra está bajo control estatal o federal. El Bosque Nacional Six Rivers, con sus bosques, montañas y ríos, ocupa gran parte del límite este del condado de Humboldt. Las tierras tribales Yurok y Hoopa suman 127.512 acres, o el 5,6 por ciento de la superficie total del condado. Tenemos la bendición de vivir en un lugar con una belleza natural increíble.

Dos de los paseos en esta sección se encuentran en campamentos administrados por Six Rivers National Forest, **East Fork Willow Creek**, justo al lado de SR 299 y **Fish Lake**, en la esquina noreste del condado. Estos tienden a estar limitados al acceso de verano. El paseo por Pine Ridge, en la zona de gestión de **Lacks Creek**, es la caminata más alta del libro, a más de 1.000 metros de altitud. Con una agradable mezcla de robledales, praderas y bosques de coníferas, es una caminata agradable en primavera, verano y otoño. La cuarta caminata es en **Blue Lake**, con opciones que incluyen el segmento pavimentado de media milla de Annie & Mary Trail, el paseo por el dique a lo largo del Mad River y un circuito alrededor del Parque Industrial.

Abundan otras oportunidades, incluidas las carreteras que conducen a Horse Mountain, Brush Mountain, High County al este de Hoopa o los Lassics. El campamento disperso está disponible en Falts Creek High sobre Redwood Creek. Son posibles impulsos increíbles a lo largo de las rutas del antiguo escenario a lugares como Bridgeville, Blocksburg y Fort Seward. Estas son aventuras más grandes y requieren una planificación.

22

WHERE IS THE LAKE?

¿DÓNDE ESTÁ EL LAGO?

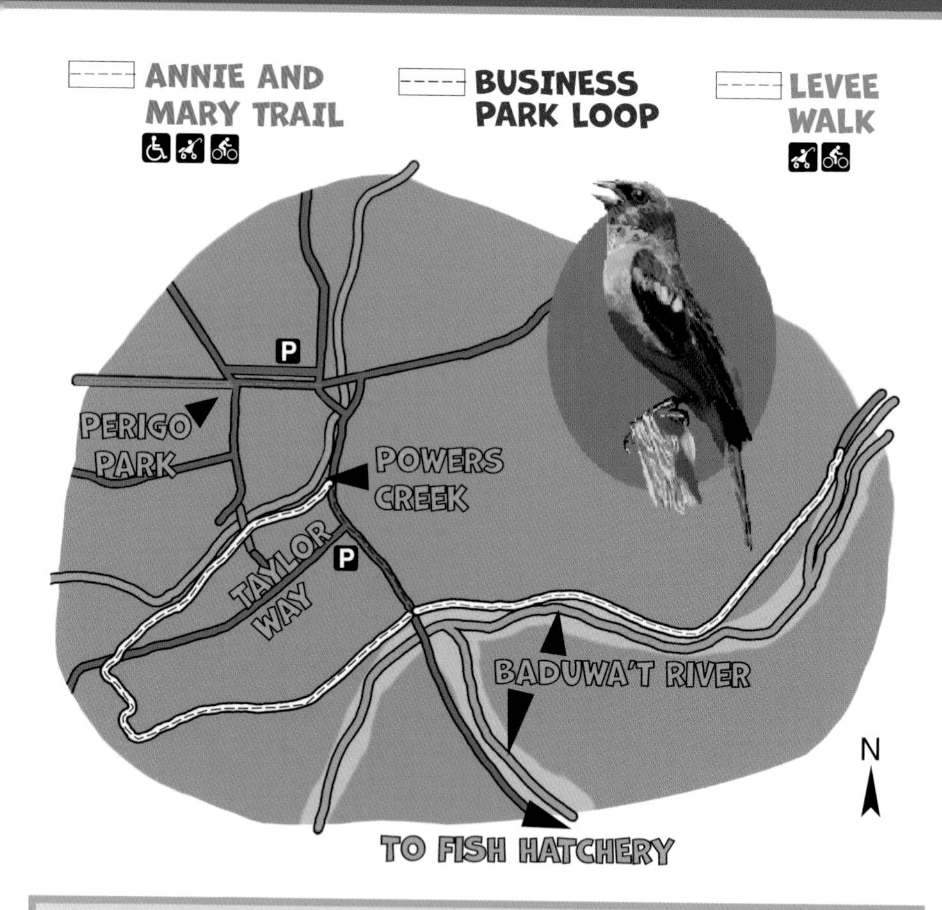

BLUE LAKE

Length (Longitud): 1.0 – 3.7 miles

Difficulty (Dificultad): Easy

Land management (Gestion de tierras): City of Blue Lake, County of Humboldt

Fee (Tarifa): None

Access constraints (Restricciones de acceso): None

Dogs (Perros): Yes

Bicycles (Bicicletas): Yes

Strollers (Cochecitos): Yes, Annie & Mary section

Bathroom (Baño): None

Public Transit: Blue Lake Rancheria Transit Service connects Arcata (with the Redwood Transit System routes) with a number of Blue Lake locations M – F.

YOUR ADVENTURE: For coast dwellers, the Blue Lake walks often offer respite from the summer marine layer. The 0.5-mile Class 1 Annie & Mary Trail through central Blue Lake, the partially paved 1.2 mile Business Park loop, and the 1.5 mile unpaved levee walk along the north side of Baduwa't (Mad River) can each be done separately or combined. The levee only periodically offers views of the river but, particularly on the east side of Hatchery Road, makes for a pleasant stroll with a lush riparian zone on one side and broad pastures backed by the rising coast range on the other. Much of the walk around the Industrial Park perimeter is on a gravel path whose ambiance may be diminished for some by its proximity to the inactive Blue Lake Power operation and the other light industrial activities.

SU AVENTURA: Para los habitantes de la costa, las caminatas de Blue Lake a menudo ofrecen un respiro de la capa marina de verano. El sendero Annie & Mary Clase 1 de 0.5 millas a través del Central Blue Lake, el bucle parcialmente pavimentado del parque empresarial de 1.2 millas, y la caminata de diques sin pavimentar de 1.5 millas a lo largo del lado norte de Baduwa't (río loco) se puede hacer por separado o combinado . El dique solo ofrece periódicamente vistas del río, pero, particularmente en el lado este de Hatchery Road, lo convierte en un agradable paseo con una exuberante zona ribereña en un lado y pastos amplios respaldados por la cordillera en ascenso en el otro. Gran parte de la caminata por el perímetro del Parque Industrial está en una ruta de grava cuyo ambiente puede estar disminuido para algunos por su proximidad a la operación inactiva de energía del lago azul y las otras actividades industriales ligeras.

GETTING THERE: Proceed north on US 101 for 9.5 miles taking the CA 299 east toward Weaverville/Redding. In 5.4 miles take the Blue Lake exit. Merge onto Blue Lake Boulevard and in 0.1 mile you will encounter a traffic circle. Continue through the traffic circle on Blue Lake Blvd. to Greenwood Avenue, just past the elementary school (0.2). Right on Greenwood and left on Railroad Ave. Parking is available here and on Taylor Way, the access road to the Business Park (0.2 along Hatchery Rd.).

THE ROUTE: The 0.5 mile-long paved Annie & Mary Trail begins near the intersection of 'H' Street and Railroad Avenue. It makes a bridged crossing of Powers Creek and continues west past the Blue Lake Museum and Perigot Park (with a small playground on the south side of the park) before ending at Chartin Road. You can connect with the Business Park Loop Trail from Hatchery Road or by going south on Broderick Lane passing the horse-rid-

CÓMO LLEGAR: Continúe hacia el norte por la US 101 durante 9,5 millas y tome la CA 299 hacia el este hacia Weaverville/Redding. En 5.4 millas tome la salida de Blue Lake. Incorpórese a Blue Lake Boulevard y en 0.1 milla encontrará una rotonda. Continúe a través de la rotonda en Blue Lake Blvd. hasta Greenwood Ave., justo después de la escuela primaria (0.2). Gire a la derecha en Greenwood ya la izquierda en Railroad Ave. Hay estacionamiento disponible aquí y en Taylor Way, el acceso al Business Park (0.2 a lo largo de Hatchery Rd.).

LA RUTA: El 0.5 El sendero pavimentado Annie & Mary de una milla de largo comienza cerca de la intersección de la calle H y Railroad Avenue. Hace un cruce por puente de Powers Creek y continúa hacia el oeste pasando el Museo Blue Lake y el Parque Perigot (con un pequeño parque infantil en el lado sur del parque) antes de terminar en Chartin Road. Puede conectarse con Business Park Loop Trail desde Hatch-

ing grounds and crossing Powers Creek (0.2) to the intersection with the Loop Trail. There is an informational sign with a map of the Blue Lake Business Park Loop Trail near the trail entrance on Hatchery Road but not on the Broderick Lane access. The graveled trail proceeds west to a crossing of Taylor Way (0.4) and continuing south along the fenced west side of the inactive Blue Lake Power property. The trail merges with the levee (0.5) and turns east continuing on the paved levee to Hatchery Road (1.0). There are numerous social trails from the levee that allow walkers closer access to Baduwa't. The shorter route turns left at Hatchery Road and follows the sidewalk back to the beginning (1.2).

The third option is to cross Hatchery Road and follow the unpaved levee to a locked gate (.75). The main channel of Baduwa't is actually quite far to the west at this point and a number of social trails lead into the flood plain and the nearby North Fork. Return to Hatchery Road (1.5) and turn right to reach the beginning (1.7). The walks can be combined in various ways to suit your family.

ery Road o yendo hacia el sur por Broderick Lane pasando los terrenos para montar a caballo y cruzando Powers Creek (0.2) hasta la intersección con Loop Trail. Hay un letrero informativo con un mapa del Blue Lake Business Park Loop Trail cerca de la entrada del sendero en Hatchery Road, pero no en el acceso a Broderick Lane. El sendero de grava continúa hacia el oeste hasta un cruce de Taylor Way (0.4) y continúa hacia el sur a lo largo del lado oeste cercado de la propiedad inactiva de Blue Lake Power. El sendero se une con el dique (0.5) y gira hacia el este continuando por el dique pavimentado hasta Hatchery Road (1.0). Hay numerosos senderos sociales desde el dique que permiten a los caminantes un acceso más cercano a Baduwa't. La ruta más corta gira a la izquierda en Hatchery Road y sigue la acera hasta el principio (1.2).

La tercera opción es cruzar Hatchery Road y seguir el dique sin pavimentar hasta una puerta cerrada (.75). El canal principal de Baduwa't está bastante lejos al oeste en este punto y una serie de senderos sociales conducen a la llanura aluvial y al cercano North Fork. Regrese a Hatchery Road (1.5) y gire a la derecha para llegar al comienzo (1.7). Los paseos se pueden combinar de varias maneras para adaptarse a su familia.

BLUE LAKE SCAVENGER HUNT

BÚSQUEDA DEL TESORO EN EL BLUE LAKE

WHERE'S THE LAKE?

Visitors looking for an azure, picturesque body of water surrounded by trees with a few houses—as suggested by the name of the community—will be sorely disappointed. Flooding of the north fork of Baduwa't (Mad River) created 13-acre Blue Lake in 1861. The lake stayed for sixty years and gave the community a resort atmosphere. A hotel, opera house, and a lakeside dance platform were all built but only lasted until the river changed course in the 1920s and the lake vanished. Only the name remains.

Los visitantes que buscan un cuerpo de agua azul y pintoresco rodeado de árboles con algunas casas, como sugiere el nombre de la comunidad, se sentirán muy decepcionados. La inundación de la bifurcación norte de Baduwa't (río Mad) creó un lago azul de 13 acres en 1861. El lago permaneció durante sesenta años y le dio a la comunidad una atmósfera de centro turístico. Se construyeron un hotel, un teatro de ópera y una plataforma de baile junto al lago, pero solo duraron hasta que el río cambió de curso en la década de 1920 y el lago desapareció. Sólo queda el nombre.

WHO WERE ANNIE & MARY?

After you finish looking for the lake, introduce yourself to Annie and Mary. These famous women are not women at all but the name affectionately given to the Arcata and Mad River Railroad that once extended from the Arcata wharf, brought tourists to Blue Lake, and served the timber industry east to Korbel. Since train service ended in 1983, efforts have been made to convert the right-of-way to a trail. The short trail extending west from central Blue Lake is the first step with several more miles funded from Larson Park in Arcata to Pump Station #1 along Baduwa't (Mad River).

Después de que termines de buscar el lago, preséntate a Annie y Mary. Estas mujeres famosas no son mujeres en absoluto, sino el nombre cariñosamente dado al Arcata and Mad River Railroad que una vez se extendía desde el muelle de Arcata, traía turistas a Blue Lake y servía a la industria maderera al este de Korbel. Desde que finalizó el servicio de trenes en 1983, se han realizado esfuerzos para convertir el derecho de paso en un sendero. El sendero corto que se extiende hacia el oeste desde el centro de Blue Lake es el primer paso con varias millas más financiadas desde el parque Larson en Arcata hasta la estación de bombeo n.° 1 a lo largo de Baduwa't (río Mad).

BLUE LAKE RANCHERIA (BLR) MICROGRID

This is something else you are unlikely to see but is a noteworthy Blue Lake development. The BLR microgrid, located just west of the Casino complex, integrates an extensive solar array with battery storage that allows the Rancheria to save $150,000 annually in electricity costs. During times of broader power outage, as occurred in October, 2019, when Pacific Gas & Electric cut power across Northern California to reduce wildfire risk, the BLR microgrid could disconnect from the statewide electric grid (called 'islanding'). It was able to make power for more than 10,000 people during the outage.

Esto es algo más que es poco probable que vea, pero es un notable desarrollo de Blue Lake. El Microgrid BLR, ubicado justo al oeste del complejo del casino, integra una extensa matriz solar con almacenamiento de baterías que permite a la Ranchería ahorrar $150,000 anualmente en costos de electricidad. En tiempos de apagón más amplio, cómo se produjo en octubre de 2019, cuando el gas Pacífico y el electricidad reducen la energía en el norte de California para reducir el riesgo de incendios forestales, la microrred BLR podría desconectarse de la red eléctrica estatal (llamada "isla"). Fue capaz de alimentar a más de 10,000 personas durante la interrupción.

LAZULI BUNTING

This beautiful bird is named after the deep blue semi-precious stone, lapis lazuli, because of its distinctive coloring. A common summer breeder found in open habitats near brush or trees like the levee along Baduwa't. Even non-birders will appreciate a sighting of this showy little bird.

Esta hermosa ave lleva el nombre de la piedra semipreciosa de color azul profundo, el lapislázuli, debido a su color distintivo. Un reproductor de verano común que se encuentra en hábitats abiertos cerca de arbustos o árboles como el dique a lo largo de Baduwa't. Incluso los que no son observadores de aves apreciarán un avistamiento de esta llamativa ave pequeña.

RUTH LAKE AND DRINKING WATER

Before the poorly-conceived Sweasey Dam (built in 1938, 7 miles upstream from Blue Lake, and dynamited in 1970) and the Matthews Dam (1961) created Ruth Lake, the Humboldt Bay Municipal Water District analysis reported that the Mad River would regularly "go dry" in the summer. Since the creation of Ruth Lake, Mad River flows have been reliable year-round with water released from Ruth Lake during dry months. This is especially important because the Humboldt Bay residents depend upon the Mad River for drinking water. Pumped from "Ranney wells", located downstream from Blue Lake, water is drawn from the sands and gravel of the aquifer 60–90 feet under the riverbed.

RUTH LAKE Y AGUA POTABLE

Antes de que la presa Sweasey mal concebida (construida en 1938, 7 millas río arriba de Blue Lake, y dinamitado en 1970) y la presa Matthews (1961) crean el lago Ruth, el análisis del distrito municipal de agua de la bahía de Humboldt informó que el río Mad se "secaba" regularmente en el el verano. Desde la creación de Ruth Lake, los flujos de Mad River han sido confiables durante todo el año con agua liberada de Ruth Lake durante los meses secos. Esto es especialmente importante porque los residentes de Humboldt Bay dependen del río Mad para obtener agua potable. El agua se bombea desde los "pozos Ranney", ubicados aguas abajo de Blue Lake, de las arenas y la grava del acuífero, de 60 a 90 pies debajo del lecho del río.

OLD SWEASEY DAM

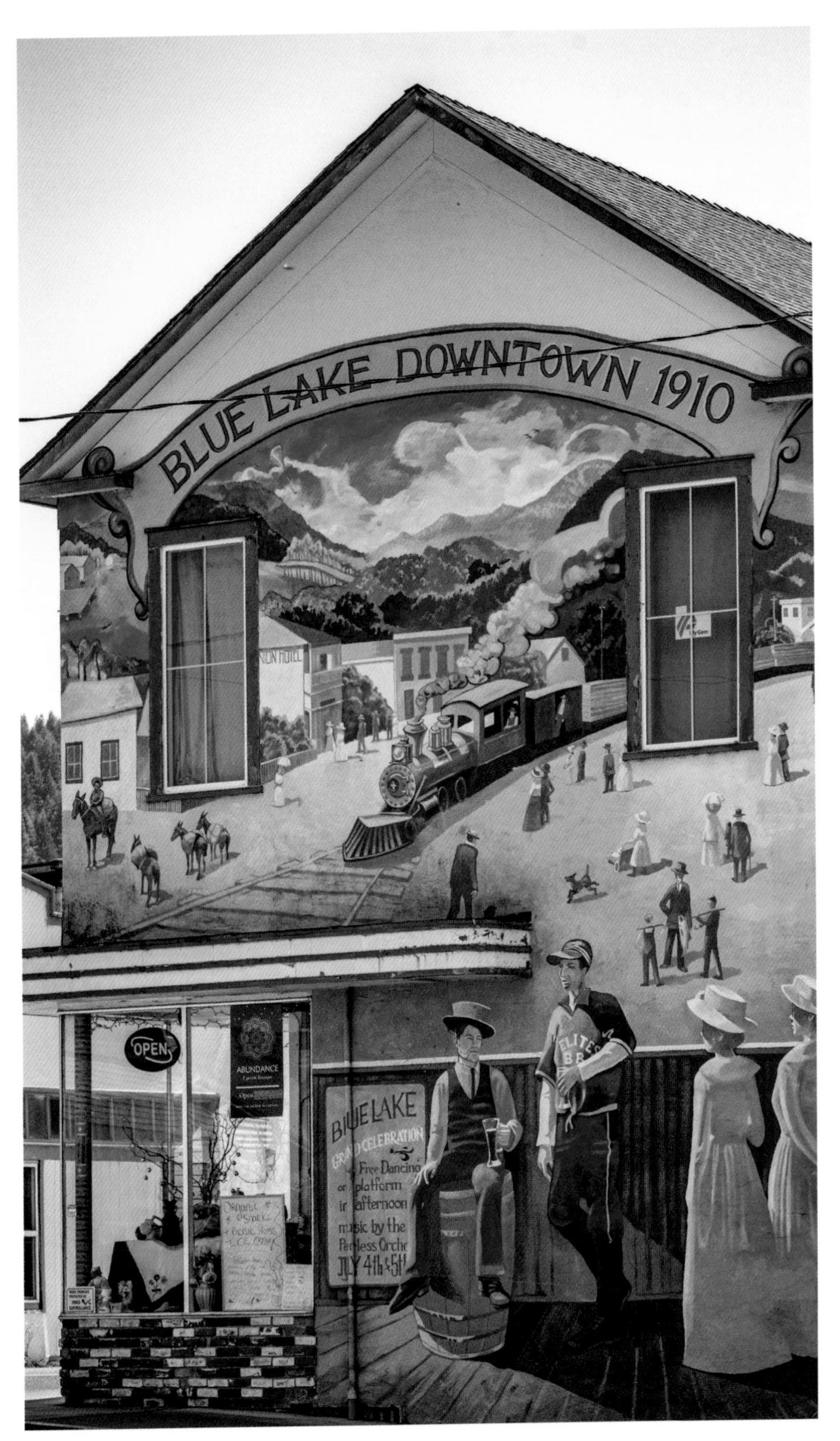
BLUE LAKE DOWNTOWN 1910
OPEN
ABUNDANCE
BLUE LAKE
music by the

23

VISIT A MOUNTAIN CREEK

VISITA UN ARROYO DE MONTAÑA

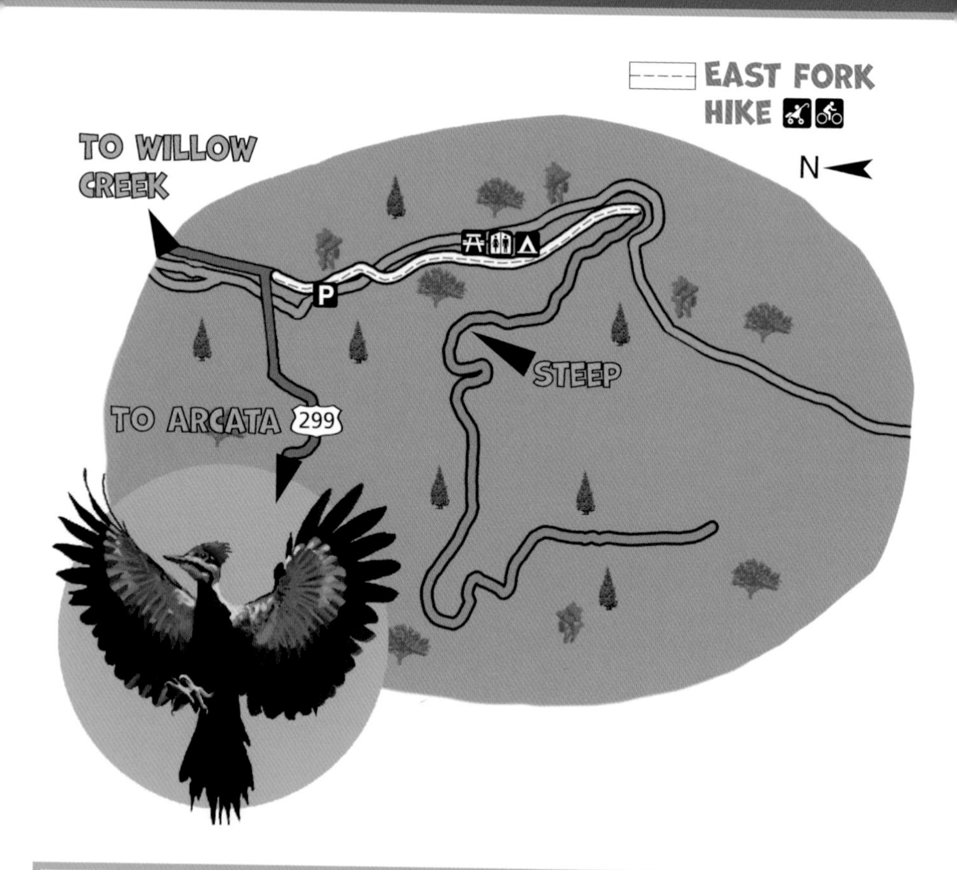

EAST FORK WILLOW CREEK

Length (Longitud): 1.2 miles

Difficulty (Dificultad): Easy to challenging

Land management (Gestion de tierras): Six Rivers National Forest

Fee (Tarifa): $4 for day use ($8 for overnight camping).

Access constraints (Restricciones de acceso): The Campground is generally open June 15 –September 30. Call (530) 629-2118. When closed, can bypass the locked gate on foot.

Dogs (Perros): Leashed

Bicycles (Bicicletas): Yes

Strollers (Cochecitos): Yes

Bathroom (Baño): Yes

Public Transit: No

YOUR ADVENTURE: In much less than a hour, residents from many parts of Humboldt Bay can leave the summer marine layer behind and enjoy the shaded, inland warmth of this small campground. The sites are well-spaced along pleasant East Fork Willow Creek. The walk is along the paved campground road with the option of continuing on and up out of the valley on a logging road that extends several more miles. It is a nice picnic spot or overnight adventure.

GETTING THERE: Proceed north on 101 for 9.5 miles taking the SR 299 east toward Weaverville/Redding. In 32.2 miles, East Fork Forest Service Campground will be on your right. When the campground is closed there is some parking along the entrance road north of the gate. Approximate driving time, 50 minutes.

TU AVENTURA: En mucho menos de una hora, los residentes de muchas partes de la Bahía de Humboldt pueden dejar atrás la capa marina de verano y disfrutar de la calidez sombreada del interior de este pequeño campamento. Los sitios están bien espaciados a lo largo del agradable East Fork Willow Creek. La caminata es a lo largo del camino pavimentado del campamento con la opción de continuar y salir del valle por un camino forestal que se extiende varias millas más. Es un agradable picnic o una aventura nocturna.

CÓMO LLEGAR: Continúe hacia el norte por la 101 por 9,5 millas tomando la SR 299 hacia el este hacia Weaverville/Redding. En 32,2 millas, East Fork Forest Service Campground estará a su derecha. Cuando el campamento está cerrado, hay estacionamiento a lo largo del camino de entrada al norte de la puerta. Tiempo aproximado de conducción, 50 minutos.

THE ROUTE: The paved campground road is little traveled and well-suited for walking. It makes a bridged crossing of the East Fork and continues south past some outstanding campsites near the water. In 0.6 mile the road turns sharply to the right and begins to climb steeply out of the valley (it continues for several more miles of steady up). There is no potable water so come prepared!

LA RUTA: El camino pavimentado del campamento es poco transitado y muy adecuado para caminar. Hace un cruce por puente de East Fork y continúa hacia el sur pasando algunos campamentos destacados cerca del agua. En 0.6 millas, el camino gira bruscamente a la derecha y comienza a subir abruptamente fuera del valle (continúa durante varias millas más de manera constante). No hay agua potable, ¡así que venga preparado!

MORE TO EXPLORE: WILLOW CREEK

Just as you enter the community of Willow Creek eastbound on 299, take the first left (Willow Glen Rd.). In 0.2 mile, this road dead ends at Creekside Park. Although devastated by the December 2021 storm, the park has been renovated with an expanded walking path, play, and picnic area. Veteran's Park/Camp Kimtu, with picnic facilities and access to the Trinity River, can be reached by turning north from SR 299 on Country Club Road (0.5) and right on Kimtu Road (0.5). At the popular Camp Kimtu swimming area, special care must be taken with the always dangerous Trinity River.

MÁS PARA EXPLORAR: WILLOW CREEK

Justo cuando ingresa a la comunidad de Willow Creek en dirección este en 299, tome la primera izquierda (Willow Glen Rd.). En 0.2 millas, este camino muere en Creekside Park. Aunque devastado por la tormenta de diciembre de 2021, el parque ha sido renovado con un sendero para caminar ampliado, un área de juegos y un área de picnic. Se puede llegar al Parque/Camp Kimtu, con instalaciones de picnic y acceso al río Trinity, girando hacia el norte desde SR299 en Country Club Road (0.5) y justo en Kimtu Road (0.5). En la popular zona de natación del campamento Kimtu, se debe tener especial cuidado con el siempre peligroso río Trinity.

EAST FORK SCAVENGER HUNT

BÚSQUEDA DEL TESORO EN EAST FORK

POISON OAK

Poison oak causes an allergic reaction, generally in the form of an itchy skin rash, in 75% (estimates range from 50–90%) of people who come in contact with the leaves or stems. Poison oak can look like a leafy shrub but also grows like a climbing vine. Always remember "Leaves of three, let them be!"

El roble venenoso provoca una reacción alérgica, generalmente en forma de sarpullido con picor en la piel, en el 75 % (las estimaciones oscilan entre el 50 y el 90 %) de las personas que entran en contacto con las hojas o los tallos. El roble venenoso puede parecer un arbusto frondoso pero también crece como una enredadera. Recuerda siempre "¡Hojas de tres, déjalas!"

BIGLEAF MAPLE

These trees are common in riparian areas along the North Coast including the East Fork campground. They produce immense leaves—the largest of any maple—that turn intense yellow in the autumn. The wood is great for making canoe paddles. Although the sap of the bigleaf maple has the same sugar concentration as the sugar maple, bigleaf maples have not been used to commercially produce syrup.

Estos árboles son comunes en áreas ribereñas a lo largo de la costa norte, incluido el campamento de East Fork. Producen hojas inmensas, la más grande de cualquier arce, que se vuelven de color amarillo intenso en otoño. La madera es ideal para hacer paletas de canoa. Aunque la savia de la miel de maple de hoja grande tiene la misma concentración de azúcar que el arce de azúcar, los arces de hoja grande no se han utilizado para producir miel comercialmente.

FISHER

You won't likely see this shy forest-dwelling member of the weasel family. But they are out here. About the size of a stretched out house cat, they are agile climbers and spend some time on the forest floor where they feed on a variety of small animals, fruits, and nuts.

Es probable que no veas a este tímido miembro de la familia de las comadrejas que habita en el bosque. Pero están aquí. Aproximadamente del tamaño de un gato doméstico estirado, son trepadores ágiles y pasan algún tiempo en el suelo del bosque donde se alimentan de una variedad de pequeños animales, frutas y nueces.

PORT ORFORD-CEDAR

The only place this tree lives is in a narrow coastal strip that includes the East Fork/Horse Mountain area. Increasingly, the Port Orford-cedar has been threatened by a disease that spreads around the tree's base, eventually killing the tree. Soil on vehicle tires, especially logging trucks and other off-road vehicles, is responsible for much of the spread. That's why certain roads in the area are closed until summer.

El único lugar donde vive este árbol es en una estrecha franja costera que incluye el área de East Fork/Horse Mountain. Cada vez más, el cedro de Port Orford se ha visto amenazado por una enfermedad que se propaga alrededor de la base del árbol y eventualmente lo mata. La tierra de los neumáticos de los vehículos, especialmente los camiones madereros y otros vehículos todoterreno, es responsable de gran parte de la propagación. Por eso ciertas carreteras de la zona están cerradas hasta el verano.

24

EXPLORING OAK WOODLANDS

EXPLORANDO LOS BOSQUES DE ROBLES

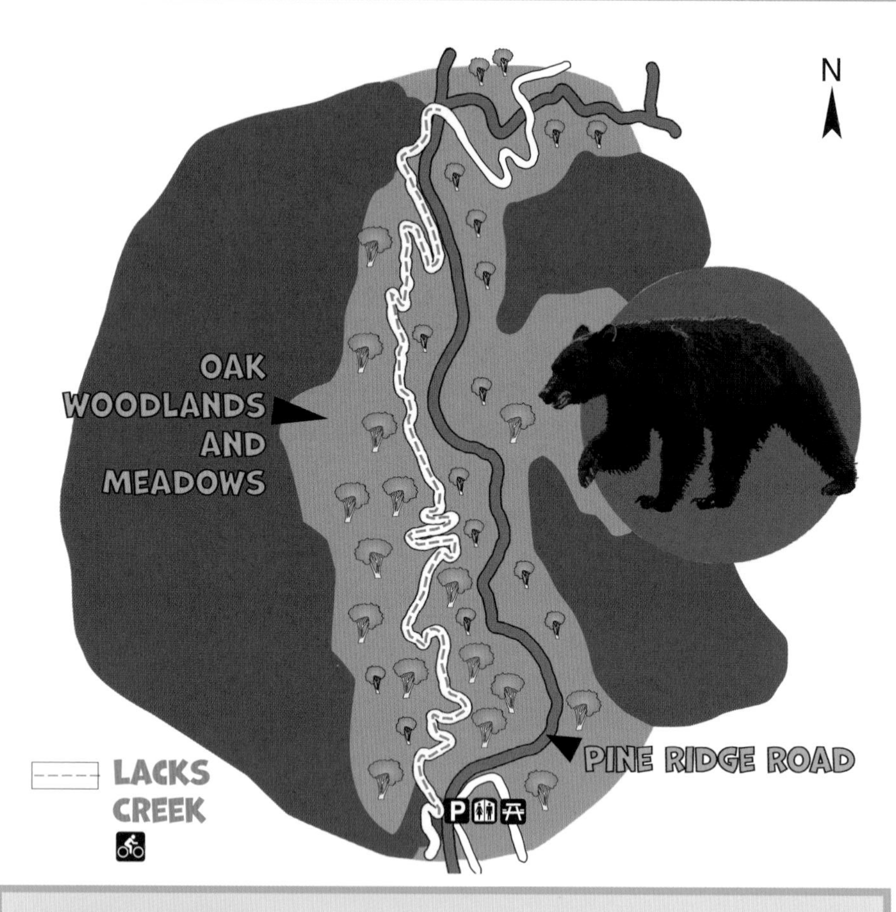

LACKS CREEK

Length (Longitud): 3.2 miles

Difficulty (Dificultad): Moderate with short, challenging sections

Land management (Gestion de tierras): Bureau of Land Management (BLM) – (707) 825-2300

Fee (Tarifa): No.

Access constraints (Restricciones de acceso): Road can be rough and snow is possible in winter.

Dogs (Perros): Yes

Bicycles (Bicicletas): Yes

Strollers (Cochecitos): Some areas

Bathroom (Baño): Yes

Public Transit: No

YOUR ADVENTURE: In 2006, with assistance from private conservation groups, the Bureau of Land Management added 4,500 acres in the Lacks Creek watershed to 4,100 acres it had already owned. Although the area had been intensively logged by a number of companies since the early 1950s, the emphasis now is on restoration of this important Redwood Creek tributary and the existing oak woodlands.

The landscape is dotted with open prairies and oak woodlands and the ever-encroaching fir forest. This trail, which can be an out-and-back or utilize Pine Ridge Road to create a loop, meanders through stands of oak and young fir as it follows the ridge crest. The trail offers wonderful views across the Lacks Creek drainage and far beyond the coastal range to the ocean, visible in the distance. The Bald Hills, Horse Mountain, and Snow Camp Ridge can be identified in the various directions.

GETTING THERE: Proceed north on US 101 9.5 miles to CA 299. Take CA 299 east for 18 miles. Once you are over Lord Ellis Summit, watch for the signed exit (Stover Road) on the left to Redwood Valley near the end of the first long, straight downhill grade (about a mile past the summit). Stover

SU AVENTURA: En 2006, con la ayuda de grupos conservacionistas privados, la Oficina de Gestión de Tierras añadió 4.500 acres en la cuenca del arroyo Lacks a los 4.100 acres que ya poseía. Aunque la zona había sido objeto de tala intensiva por parte de varias empresas desde principios de la década de 1950, ahora se hace hincapié en la restauración de este importante afluente del arroyo Redwood y de los robles existentes.

El paisaje está salpicado de praderas abiertas y bosques de robles, así como del bosque de abetos que se extiende cada vez más. Este sendero, que puede ser de ida y vuelta o utilizar Pine Ridge Road para crear un bucle, serpentea a través de bosques de robles y abetos jóvenes mientras sigue hacia arriba de cresta. El sendero ofrece maravillosas vistas de la cuenca del arroyo Lacks y de la cordillera costera hasta el océano, visible en la distancia. Las colinas Bald Hills, Horse Mountain y Snow Camp Ridge pueden identificarse en varias direcciones.

CÓMO LLEGAR: Continúe hacia el norte por la US 101 .9,5 millas hasta la CA 299. Tome la CA 299 hacia el este durante 18 millas. Una vez que haya pasado la cumbre Lord Ellis, busque la salida señalizada (Stover Road) a la izquierda hacia Redwood Valley cerca del final de la primera cuesta abajo larga

Road drops steeply down into Redwood Valley, crossing Redwood Creek, and intersecting with Bair Road at 3.7 miles. Unpaved Bair Road turns right and climbs steeply up the east side of Redwood Valley in a series of torturous turns over the next 5.5 miles. This road can be very dusty in the summer, muddy in the spring, and snow-bound in the winter. Turn left on the access road into the Lacks Creek Management Area (there is a sign at the Bair Road junction). In 0.6 mile three roads split near an informational kiosk. Turn right and follow Pine Ridge Road for 1.7 miles to a trailhead parking area with a pit toilet and large information sign. Although all roads to this point are passable by all road cars, there is certainly peace of mind if driving a higher clearance vehicle.

THE ROUTE: From the trailhead, two trails diverge from the west side of the parking area. Take the signed Pine Ridge Trail which veers right. The trail is obvious as it winds its way north along the view-rich ridgeline. The trail tends to stay toward the west side of the ridge passing through groves of moss-covered oak and young stands of fir and tan oak. There are a few short steep or narrow stretches that will require some care. The trail eventually drops down and joins Pine Ridge Road (1.6). Be alert for mountain bike riders on the trail. You can either return the way you came or walk the slightly shorter and much flatter road back. It does lack the aesthetics and the views offered by the trail.

y recta (aproximadamente una milla después de la cumbre). Stover Road desciende abruptamente hacia Redwood Valley, cruza Redwood Creek y se cruza con Bair Road a 5,8 km. Bair Road, sin asfaltar, gira a la derecha y asciende por la ladera este de Redwood Valley en una serie de tortuosas curvas a lo largo de los 8 km siguientes. Esta carretera puede estar muy polvorienta en verano, embarrada en primavera y cubierta de nieve en invierno. Gire a la izquierda en la carretera de acceso al Área de Gestión de Lacks Creek (hay una señal en el cruce de Bair Road). En 0,6 millas tres caminos se dividen cerca de un quiosco informativo. Gire a la derecha y siga Pine Ridge Road durante 1,7 millas hasta llegar a una zona de aparcamiento con un baño y un gran cartel informativo. Aunque todas las carreteras hasta este punto son transitables por todos los coches de carretera, sin duda hay que estar tranquilo si se conduce un vehículo de mayor altura.

LA RUTA: Desde el inicio del sendero, dos senderos se bifurcan desde el lado oeste de la zona de aparcamiento. Tome el sendero señalizado de Pine Ridge que vira a la derecha. El sendero es obvio ya que serpentea hacia el norte a lo largo de la cresta rica en vistas. El sendero tiende a mantenerse hacia el lado oeste de la cresta, atravesando bosques de robles cubiertos de musgo y rodales jóvenes de abetos y robles. Hay algunos tramos estrechos y empinados que requieren cierta precaución. Finalmente, el sendero desciende y se une a Pine Ridge Road (1,6). Esté atento a los ciclistas de montaña que circulan por el sendero. Puede volver por donde ha venido o recorrer el camino de vuelta, ligeramente más corto y mucho más llano. Eso sí, carece de la estética y las vistas que ofrece el sendero.

HOOPA VALLEY

For millennia Native Americans have been stewards of these lands. The discovery of gold unleashed an invasion of miners and settlers into Northern California that created violent conflict around land, resources, and culture. From 1850 into the 1860s, the United States military actively pursued local Native Americans. Ultimately, many were massacred with those remaining being relocated to various places including the Round Valley, Smith River, Klamath, or Hoopa Valley Indian Reservations. In 1864, the U.S. government signed a treaty recognizing the sovereignty of the Hupa Tribe over the Hoopa Valley Indian Reservation. Although the Hupa were one of very few California Tribes not forced from their homeland, bits and pieces of 11 Tribes were resettled on the 141-square mile reservation—a small fraction of the land originally home to these tribes. Like all of Northern California, Lacks Creek was Native American land. Now, not far to the east of Lacks Creek Management Area is the western boundary of the Hoopa Valley Indian Reservation, where the Hupa Tribe continues its stewardship of this portion of their ancestral lands.

Durante milenios, los nativos americanos han sido los guardianes de estas tierras. El descubrimiento de oro desencadenó una invasión de mineros y colonos en el norte de California que creó un violento conflicto en torno a la tierra, los recursos y la cultura. Desde 1850 hasta la década de 1860, el ejército de Estados Unidos persiguió activamente a los nativos americanos de la zona. Finalmente, muchos fueron masacrados y los que quedaron fueron reubicados en varios lugares, como las reservas indias de Round Valley, Smith River, Klamath o Hoopa Valley. En 1864, el gobierno de Estados Unidos firmó un tratado por el que reconocía la soberanía de la tribu Hupa sobre la reserva india del valle Hoopa. Aunque los hupa fueron una de las pocas tribus de California que no se vieron obligadas a abandonar su tierra natal, en la reserva de 141 millas cuadradas se reasentaron fragmentos de 11 tribus, una pequeña fracción de la tierra que originalmente albergaba a estas tribus. Como todo el norte de California, Lacks Creek era tierra de nativos americanos. Ahora, no muy lejos al este del Área de Gestión de Lacks Creek se encuentra el límite occidental de la Reserva Indígena del Valle de Hoopa, donde la Tribu Hupa continúa su administración de esta porción de sus tierras ancestrales.

MANZANITA

There are 95 different manzanitas in California ranging from ground cover to small trees. Manzanitas thrive in poor soil with little water and are generally distinguished by their smooth orange or red bark and stiff, twisted branches. Native Americans make full use of the edible berries and flowers that most manzanitas produce. The berries are used to make cider with medicinal properties or dried and ground into coarse flour. Leaves treat stomach ailments, headaches, open sores and more.

Hay 95 manzanitas diferentes en California que van desde la cubierta del suelo hasta los árboles pequeños. Las manzanitas prosperan en suelo pobre con poca agua y generalmente se distinguen por su corteza de naranja o roja lisa y ramas rígidas y retorcidas. Los nativos americanos hacen uso completo de las bayas y flores comestibles que la mayoría de las manzanitas producen. Las bayas se utilizan para hacer sidra con propiedades medicinales o secas y molidas en la harina del curso. Las hojas tratan dolencias estomacales, dolores de cabeza, llagas abiertas y más.

OAK WOODLANDS AND ACORNS

Oaks create the foundation of an important community of plants in northwestern California. The oaks and associated plants create habitat for a remarkable number of other living things—from snails to mushrooms. The acorns are eaten by a variety of animals including birds like acorn woodpeckers and mammals like deer and bear. In addition, Native Americans utilize acorns for food. To prepare the acorns, they first roast and then grind them into a type of flour. For that reason, the oaks are a cultural keystone species for Tribes in the area.

Los robles crean la base de una importante comunidad de plantas en el noroeste de California. Los robles y las plantas asociadas crean un hábitat para una gran cantidad de otros seres vivos, desde caracoles hasta hongos. Las bellotas son consumidas por una variedad de animales, incluidas aves como los pájaros carpinteros belloteros y mamíferos como los ciervos y los osos. Además, los nativos americanos dependen de las bellotas para alimentarse. Para preparar la bellota, primero la tuestan y luego la muelen hasta formar una especie de harina. Por esa razón, los robles son una especie cultural clave para las tribus de la zona.

BLACK OAK

WHITE OAK

DISCOVER THE KLAMATH MOUNTAINS

DESCUBRE LAS MONTAÑAS KLAMATH

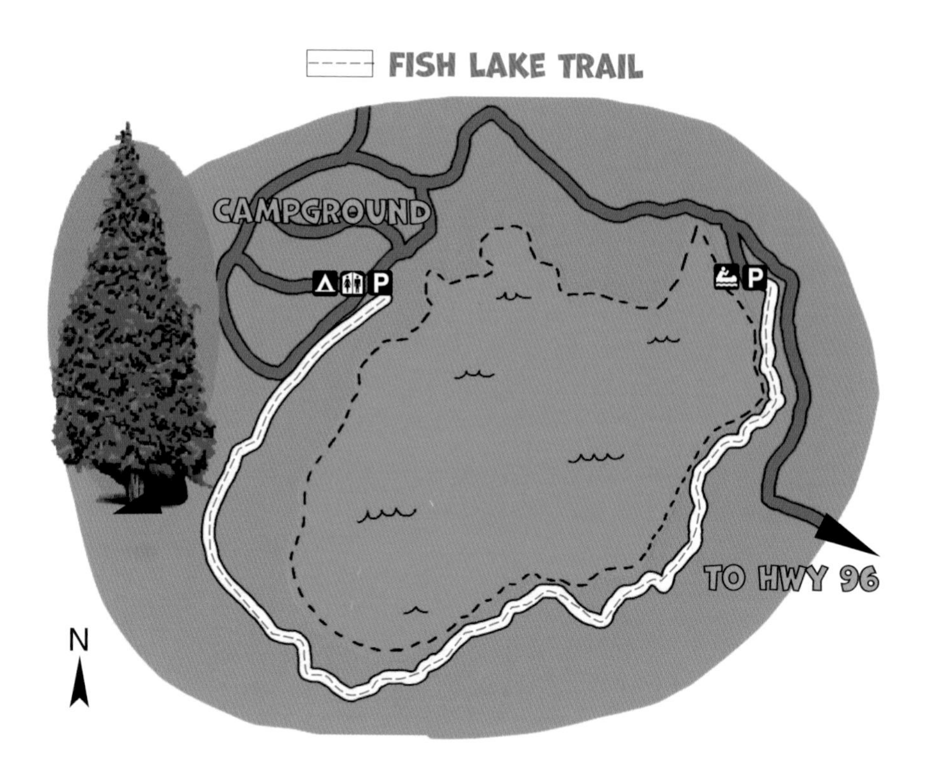

FISH LAKE

Length (Longitud): 1.5 miles

Difficulty (Dificultad): Moderate

Land management (Gestion de tierras): Six Rivers National Forest, (530) 627-3291

Fee (Tarifa): $5 for day use ($10 for overnight camping)

Access constraints (Restricciones de acceso): The campground is open June 15 – September 30 (dates may vary due to wet weather and Port Orford-cedar root disease)

Dogs (Perros): Leashed

Bicycles (Bicicletas): Yes

Strollers (Cochecitos): No

Bathroom (Baño): Vault toilets available throughout the campground.

Public Transport (Transporte público): No

YOUR ADVENTURE: Inland Humboldt County forests are a mixture of hardwoods and conifers. This is what you will find around Fish Lake, quite different from the coastal redwood forests. The sunny, hot summer weather is often a welcome contrast to the foggy, cool coast. This is a better lake for fishing and boating than for swimming.

GETTING THERE: Proceed north on US 101 for 9.5 miles taking the SR 299 east toward Weaverville/Redding. In 37.6 miles turn left on SR 96 for 34 miles. Left on Bluff Creek Road (FS Road 13N01) 5 miles to Fish Lake Road (FS Road 10N12), turn right and continue for 3 miles to the boat ramp (before the campground entrance). Park across from the boat ramp. Approximate driving time, 1 hour and 50 minutes.

SU AVENTURA: Los bosques del interior del condado de Humboldt son una mezcla de maderas duras y coníferas. Esto es lo que encontrará alrededor de Fish Lake, bastante diferente de los bosques costeros de secuoyas. El clima soleado y cálido del verano es a menudo un bienvenido contraste con la costa fresca y nublada. Este es un lago mejor para pescar y navegar que para nadar.

CÓMO LLEGAR: Continúe hacia el norte por la 101 durante 9,5 millas tomando la SR 299 hacia el este hacia Weaverville/Redding. En 37,6 millas, gire a la izquierda en SR 96 durante 34 millas. Gire a la izquierda en Bluff Creek Road (FS Road 13N01) 5 millas hasta Fish Lake Road (FS Road 10N12), gire a la derecha y continúe durante 3 millas hasta la rampa para botes (antes de la entrada del campamento). Estacione frente a la rampa para botes. Tiempo aproximado de conducción, 1 hora y 50 minutos.

THE ROUTE: The trail heads left into the woods from the boat ramp. The trail makes its undulating way around the lake with regular lake views through the trees and bridged seasonal stream crossings to a paved campground road (0.6). Stay right and continue to the day use area (.75) where you can turn around and retrace your steps or continue on the campground road to the boat ramp (1.1).

LA RUTA: El sendero se dirige a la izquierda hacia el bosque desde la rampa del barco. El sendero hace su camino ondulante alrededor del lago con vistas regulares del lago a través de los árboles y los cruces de arroyos de temporada alerta a una carretera de campamento pavimentado (0.6). Manténgase a la derecha y continúe hasta el área de uso diurno (.75) donde puede dar la vuelta y volver sobre sus pasos o continuar en la carretera del campamento hacia la rampa del barco (1.1).

DRAW TOGETHER

Find a buddy, head outside, and have fun observing an object together! In this activity it takes one person to be the EYES and the other to be the HAND to notice and record observations. This is best when one partner is a bit older if young children try!

What: Take turns practicing Noticing + Communicating details about something outside, and then Interpreting + Recording this information in your nature journal.

Materials: 1) A notebook (preferably with blank pages) or clipboard and stapled together blank paper. 2) Any item you find in nature. 3) Pencil/pen and other drawing supplies.

Time: 15-30 minutes

How:

1. Find an item to observe (big, small, or even the view itself — anything will work!). The important thing is keeping your chosen "item" secret from your partner.
2. Choose who will be the *Eyes* first (describing the details of their item) and who will be the *Hand* (interpreting and recording these observations into a drawing).
3. Sit back-to-back so the Hand cannot see what the Eyes are observing.
4. Observe and record—drawing together! When complete compare the drawing to the real item, noticing what is alike and different. What was tricky or unclear? What information would have helped?

DIBUJAR JUNTOS

¡Encuentre un amigo, salgan afuera y ustedes diviértanse observando un objeto juntos! En esta actividad se necesita que una persona sea los OJOS y la otra la MANO para anotar y registrar las observaciones. ¡Esto es mejor cuando uno de los miembros de la pareja es un poco mayor si los niños pequeños lo intentan!

Qué: Tome turnos practicando notando + comunicar detalles sobre algo afuera y luego interpretar + registrar esta información en su diaro de la naturaleza.

Materiales: 1) Un cuaderno (preferiblemente con páginas en blanco) o portapapeles y engrapado en papel en blanco. 2) Cualquier artículo que encuentre en la naturaleza. 3) lápiz/bolígrafo y otros suministros de dibujo.

Hora: 15-30 minutos

Cómo:

1. Encuentre un elemento para observar (¡grande, pequeño o incluso la vista en sí, ¡cualquier cosa funcionará!). Lo importante es mantener su "artículo" elegido en secreto de su pareja.
2. Elija quién será primero los ojos (describiendo los detalles de su elemento) y quién será la mano (interpretar y registrar estas observaciones en un dibujo).
3. Siéntese de forma consecutiva para que la mano no pueda ver lo que los ojos están observando.
4. Observe y grabe, ¡ganen juntos! Cuando esté completo, compare el dibujo con el artículo real, notando que es igual y diferente. ¿Qué fue complicado o poco claro? ¿Qué información habría ayudado?

FISH LAKE SCAVENGER HUNT

BÚSQUEDA DEL TESORO EN EL LAGO DE PECES

DRAGONFLIES

A biologist once told me that, by weight, there is no more deadly predator than the dragonfly. Fast, agile fliers, dragonflies are capable of highly accurate aerial ambush and catch as much as 95% of the prey they pursue. They eat a variety of insects ranging from small midges and mosquitoes to butterflies, moths, and smaller dragonflies. Although dragonflies are found in a variety of habitats, they are most common around water.

Un biólogo me dijo una vez que, por peso, no hay más depredadores mortales que la libélula. Los volantes rápidos y ágiles, las libélulas son capaces de una emboscada aérea altamente precisa y capturan hasta el 95% de la presa que persiguen. Comen una variedad de insectos que van desde pequeños mosquitos y hasta mariposas, polillas y libélulas más pequeñas. Aunque las libélulas se encuentran en una variedad de hábitats, son más comunes alrededor del agua.

BIGFOOT

Along the nearby Bluff Creek, Roger Patterson and Robert Gimlin documented their encounter with Bigfoot with a grainy 53-second film on October 20, 1967. Although most experts have branded the film a hoax, this short clip (specifically frame 352) has become the iconic image of Bigfoot. What do you think?

A lo largo del cercano Bluff Creek, Roger Patterson y Robert Gimlin documentaron su encuentro con Bigfoot con una película granulada de 53 segundos el 20 de octubre de 1967. Aunque la mayoría de los expertos han calificado la película como un engaño, este breve clip (específicamente el cuadro 352) se ha convertido en la imagen icónica de Bigfoot. ¿Qué piensa usted?

RAINBOW TROUT

Among the fish populating the lake are rainbow trout, a species of salmonid native to cold-water tributaries of the Pacific Ocean. Steelhead are the anadromous (fish born in freshwater who migrate to salt water and return to freshwater to spawn) form of rainbow trout. Rainbow trout never touch the ocean, including those in Fish Lake. Anglers prize rainbow trout for their powerful struggle when hooked and for their taste when eaten.

Entre los peces que pueblan el lago se encuentran la trucha arcoíris, una especie de salmónido originaria de los afluentes de agua fría del Océano Pacífico. Steelhead es la forma anádroma (peces nacidos en agua dulce que migran al agua salada y regresan al agua dulce para desovar) de la trucha arcoíris. Las truchas arcoíris nunca tocan el océano, incluidas las de Fish Lake. Los pescadores aprecian la trucha arcoíris por su poderosa lucha cuando se enganchan y por su sabor cuando se comen.

ANIMAL PRINTS

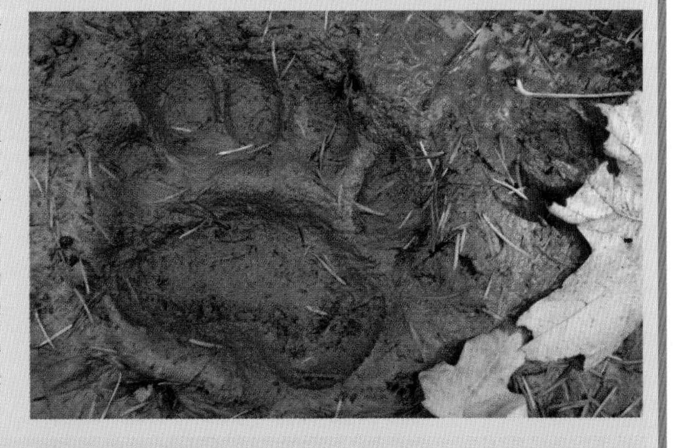

Soft and muddy ground along dirt roads and trails are good places to look for animal tracks. You may see bear or deer prints. Those are big and easier to spot. But look more closely for the much smaller tracks of mice or birds.

Los lugares húmedos de la carretera de Pine Ridge, donde la superficie del camino es blando y embarrado, es un buen sitio para buscar huellas de animales. Es posible que veas huellas de oso o ciervo. Éstas son grandes y fáciles de ver. Pero fíjate más en las huellas mucho más pequeñas de ratones o pájaros.

All maps drawn by Ben Selman

Photo Credit

Introduction

- All images by Max Forster

Northern Humboldt

1) Trillium Falls (with Fern Canyon Extra)
   a. Justin Garwood: Alder
   b. Michael Kauffmann: Bridge, jumping kid by tree, jumping kids at Fern Canyon, trillium, sword fern, and goose pen
   c. Joyce Cory: Elk in road
   d. Jonathan Miske: Elk with sign
   e. Mark Larson: Trillium Falls
2) Prairie Creek
   a. Michael Kauffmann: Redwood and fog, big tree and kid, canopy.
   b. Nancy Spruance: redwood tunnel
   c. Allison Poklemba: Banana slug, rhododendron flower.
   d. Marie Antoine: Fern mat
3) Sue-meg State Park
   a. Allison Poklemba: kids and adult in Sumeg, kid in Sumeg, kids overlooking Wedding Rock, and sea stacks
   b. Mark Larson: Bear on structure
   c. Rees Hughes: Agate Beach view
   d. Zoltán Stekkelpak: sea lions via iNaturalist ®CCo
4) Trinidad Head
   a. Michael Kauffmann: View from Trinidad Head
   b. Max Forster: Blow hole
   c. Allison Poklemba: Tide pool
   d. Mark Larson: Lighthouse view, People walking Trinidad Head
   e. Jennifer Gonzales: Touch tank
   f. Adam Jackson: grey whale via iNaturalist ®CCo
5) Hammond Trail
   a. Mark Larson: Spruce at overlook, Mad River mouth.
   b. Nancy Spruance: Railroad walk
   c. Clearman Cole: Train
   d. Michael Kauffmann: Bridge

Humboldt Bay

Intro text:

- Mark Larson: Woman on bench and night heron

6) Bay Trail North (with Arcata Marsh Extra)
   a. Michael Kauffmann: Family biking, marsh at sunset
   b. Jeff Todoroff: Duck family, godwit, mallards, shorebirds in flight, and songbird
   c. Rees Hughes: Salt Marsh
   d. Nancy Spruance: Egret in flight
   e. Mark Larson: Otters
   f. George Ziminsky: Marsh Interpretive Center
7) Arcata Community Forest
   a. Michael Kauffmann: Bikers, all mushrooms, bench and forest
   b. Mark Larson: Split trail and forest
8) Freshwater Farms
   a. Northcoast Regional Land Trust: Looking across the slough, kayaking, barn
   b. Mike Van Hattem: Tree Frogs
   c. Rees Hughes: Wood Creek
9) Ma-le'l Dunes North
   a. Michael Kauffmann: All pictures except...
   b. Melissa Goldman: Kids in sand
10) Waterfront Trail North
   a. Michael Kauffmann: Biker, sailboat, statue
   b. Mark Larson: Blue Ox, Posts with sunglasses (full page)
   c. Genzoli Collection, Cal Poly Humboldt University Library (1904): Traditional Transportation
   d. Shuster Collection, Cal Poly Humboldt University Library: Lumber Mill
   e. Clark Historical Museum: Chinatown
11) Sequoia Park and the Skywalk
   a. Jennifer Gonzales: Skywalk, Otter and child
   b. Linda Powell: Duck pond and kids.

12) Hikshari' Trail
    a. Michael Kauffmann: Kids on beach, invasive plants
    b. Mark Larson: Boat and old piers
13) Elk River to Falk
    a. Michael Kauffmann: Kids on bikes, old hedgerow and sidewalk
    b. Mark Larson: Maple and trail, water tank on stump
    c. Kristi Wrigley: Falk Panorama
14) Humboldt Bay Wildlife Refuge
    a. Rees Hughes: Visitor's Center
    b. Mark Larson: V-formation, cattails
    c. Jeff Todoroff: Aleutian geese, flyoff
    d. Allison Poklemba: Sound maps

Southern Humboldt

15) Rohner Park (with Riverwalk and Newburg Park Extras)
    a. Rees Hughes: Redwoods and trail
    b. Nancy Spruance: Riverwalk
    c. Allison Poklemba: Nature Journaling, Adder's Tongue
16) Centerville to Fleener
    a. Michael Kauffmann: Fossil wall, fossil snail
    b. Nancy Spruance: Fossil clam
    c. U.S. Government: Listening post
    d. Humboldt County Collection, Cal Poly Humboldt Library: Wreck of the Northerner
    e. Humboldt County Historical Society: Small cave
17) Cheatham Grove/Swimmers Delight
    a. Michael Kauffmann: Return of the Jedi spot, flowers and trail, leather fern
    b. Allison Poklemba: Balanced rock
    c. Rees Hughes: Hikers on trail
18) Mattole/Petrolia
    a. Michael Kauffmann: Arch, Person walking on beach
    b. Nancy Spruance: Lighthouse
    c. Kjirsten Wayman: Coastline and tidepools
    d. Mark Larson: Mouth of Mattole and driftwood
    e. iNaturalist image by aparrot1 (®CCo): Elephant seals
19) Founders Grove
    a. Michael Kauffmann: All images
20) Southern Humboldt Community Park
    a. Rees Hughes: Pasture
    b. Jeff Todoroff: Barn owl
    c. Josh Bennett: Child and tree
    d. Kim Cabrera: Pepperwood
    e. Michael Kauffmann: Buckeye
    f. Cal Poly Humboldt: Cows
21) Hidden Valley
    a. Rees Hughes: Shelter Cove
    b. Rebecca Garwood: Kids in madrone, hiking in Hidden Valley
    c. Jeff Kane: Controlled Burn

Eastern Humboldt

22) Annie & Mary Trail and Blue Lake
    a. Mark Larson: Painted building, River swimming,
    b. Rees Hughes: Trail path
    c. Paul Gossard: Sweasey Dam
    d. Jeff Todoroff: Lazuli bunting
    e. Francois and Helene Douarin, c/o Blue Lake Museum: Family in rowboat on Blue Lake (cir. 1893-94).
23) East Fork Willow Creek
    a. Michael Kauffmann: Kids bug collecting, Picnic table and ferns, poison oak, Port Orford-cedar, downtown Willow Creek
    b. Will Harling: Fisher
    c. Rees Hughes: Bigleaf maple
24) Lacks Creek
    a. Michael Kauffmann: All images.
25) Fish Lake
    a. Rees Hughes: Lake and bear track
    b. Michael Kauffmann: Port Orford-cedar grove
    c. Justin Garwood: Rainbow trout
    d. Ken DeCamp: Dragonfly
    e. Patterson-Gimlin Film: Bigfoot

REES HUGHES

Following a career in education, Rees is devoted to writing about and walking local roads and trails. He has been a staunch advocate for trails and has spent many hours as a Volunteer Trail Steward. He and his wife, Amy Uyeki, have two grown kids who provided much of the incentive to explore the many forests, beaches, rivers and mountains of Humboldt County.

Después de una carrera en educación, Rees se dedica a escribir y caminar por caminos y senderos locales. Ha sido un firme defensor de los senderos y ha pasado muchas horas como administrador voluntario de senderos. Él y su esposa, Amy Uyeki, tienen dos hijos adultos que fueron gran parte del incentivo para explorar los numerosos bosques, playas, ríos y montañas del condado de Humboldt.

JENNIFER GONZALES

Is a mother of two adventurous kiddos, believer in the magic of early childhood, and avid builder of community. She holds a BA in Child Development, works supporting young children and families and is a graduate of the Napa Infant-Parent Mental Health Fellowship program. She is often found exploring the outdoors where she is reminded of our deep connection to the Earth.

Es madre de dos niños aventureros, es firme creyente en la magia de la primera infancia y ávida constructora de comunidad. Es licenciada en Desarrollo Infantil, trabaja apoyando a niños pequeños y familias y se graduó en el programa Napa Infant-Parent Mental Health Fellowship. A menudo se encuentra explorando al aire libre, donde recuerda nuestra profunda conexión con la tierra.

MICHAEL KAUFFMANN & ALLISON POKLEMBA

Are a wife-husband team who started Backcountry Press in 2012 as a way to share their love for science and education. They are Nature Nerds, Outdoor Adventurers, Hikers, Botanists, Parents of two boys, Science Teachers, and Environmental Educators. **Their mission:** To enhance the human connection with the natural world.

Somos un equipo de esposa y esposo que comenzó Backcountry Press en 2012 como una forma de compartir nuestro amor por la ciencia y la educación. Somos nerds de la naturaleza, aventureros al aire libre, excursionistas, botánicos, padres de dos niños, profesores de ciencias y educadores ambientales. **Nuestra misión**: Mejorar la conexión humana con el mundo natural.